KB055809

죽지 않는 엑스트라

인타임 페이퍼북 시리즈

죽지 않는 엑스트라 11

ⓒ 토이카, 2021

발행일 2021년 12월 6일 초판 1쇄 2021년 12월 13일 | 발행인 김명국 | 책임 편집 안효정 |
제작 최은선 | 발행처 주식회사 인타임 출판 등록 107-88-06434(2013년 11월 11일) 주소
서울시 구로구 디지털로 1길 38-21 이앤씨벤처드림타워 3차 405호 전화 070-7732-6293
팩스 02-855-4572 이메일 in-time@nate.com | ISBN 979-11-03-31990-8 (04810)
979-11-03-31616-7 (세트) | 이 책은 주식회사 인타임이 저작권자와의 계약에 따라 발행한
것이므로 내용의 전부 또는 일부를 사용하려면 반드시 양측의 동의를 받으셔야 합니다. 잘못된 책은
구매처에서 바꿔 드립니다.

죽지 않는 엑스트라

11

토이카 퓨전 판타지 장편소설

intime

차례

Chapter 47.

에반 디 셰어든, 기사단장이 되다

　무척이나 날씨가 맑은 봄날 아침, 에반은 던전 기사단 본부에 있는 자신의 방 침실에서 눈을 떴다. 눈앞에 단정하게 하녀복을 차려입은 벨루아의 모습이 있었다.

　깔끔하게 정돈된 흑단 같은 머릿결, 붉은 루비와도 같은 커다란 눈동자. 오늘도 그녀는 무척 아름다웠다.

　"일어나셨습니까, 도련님."

　"루아…… 응, 좋은 아침. 깨워 줘서 고마워. 근데 이제 진짜 그거 벗어도 된다니까."

　하품을 한차례 하고는 나이트캡을 벗어 정돈하며 몸을 일으킨 에반은 벨루아에게 아침 인사를 건네다 말고, 여전히 하녀복 차림을 고수하고 있는 그녀의 모습에 쓴웃음을 지으며 그렇게 말했다.

"예, 알겠습니다."

그러자 벨루아는 무척 감격한 표정을 지으며 기꺼이 가슴
팍의 리본에 손을 가져다 대었다. 금방이라도 리본이 풀릴 것
같았다.

"보잘것없는 제 몸을 받아 주신다니 더할 나위 없는 영광입
니다, 도련님."
"아니아니아니아니, 지금 입고 있는 옷을 벗으라는 게 아
니라!"
"유감입니다……."
"나야말로 유감이야……."

만약 에반이 제지하는 게 조금이라도 더 늦었더라면 어찌
됐을지 아찔하기만 했다.
이게 다 메이벨 때문이리라. 벨루아가 그녀에게서 '주인을
유혹하는 법'에 대해 배우기라도 하는 것이 분명했다. 요즘 둘
의 레퍼토리가 점점 비슷해지는 느낌이 드니까!

"루아, 내가 말하고 싶었던 게 뭔지 알면서 대체 왜 그러는
거야?"

"제가 도련님께 그대로 드리고 싶은 질문입니다."

"아, 아아아. 내가 잘못했어. 잘못했으니까 그렇게 물끄러미 바라보지 마."

이 녀석도 요즘 점점 가속만 하지 후진이 없는 느낌이 드는데. 이러다 정말 언젠가…… 아니, 이제 진짜 위험한 것 아닌가? 특히 오늘부터는 더더욱?

"에반, 일어났어?"

그때 문이 벌컥 열리고 그 늘씬한 몸에 착 달라붙는 원피스를 입은 아리샤가 들어왔다. 에반은 막 잠옷 바지를 벗고 정장으로 갈아입던 참이었다. 벨루아가 뒤에서 그의 상의를 고르고 있었다.

"일어났구나."
"갈아입고 있잖아. 나가."
"오늘 식순 알고 있어?"
"제가 알고 있습니다, 아리샤 아가씨."

에반의 제지에도 불구하고 아리샤는 태연히 들어와 벨루아와 얘기를 나누기 시작했다. 어떡하지, 이 녀석도 점점 더 철면피가 되어 가는 것 같은데?

벨루아의 도움을 받아 환복을 완료한 에반은 태연히 방 안에 머무르고 있는 아리샤의 이마에 딱밤을 먹였다.

"아얏."
"백작가 영애님, 예의는 어디 외출하셨냐?"
"예의…… 아. 착각하지 마, 에반."

펠라티 백작가 영애 아리샤가 도도한 표정으로 단언했다.

"보지 않는 척했을 뿐 실은 네가 옷 갈아입는 장면을 몰래 감상하고 있었으니까."
"우리가 서로 인식하는 예의의 개념이 다른 것 같다는 기분이 드네……."
"자, 빨리 식사하러 가자. 오늘은 오전부터 행사가 예정되어 있는 모양이니 단단히 먹어 두지 않으면 나중에 힘들 거야."

아리샤가 그 말과 함께 에반에게로 다가와 자연스럽게 그의 왼팔에 팔짱을 꼈다. 벨루아는 칫, 작게 혀를 차면서도 그것을 제지하지 않았다.

"드디어 오늘이네."
"기다리느라 고생 많았어."
"쿠훗, 고생이랄 것도 없었어. 더구나 오늘부터는 세레이나를 마음껏 놀려 먹을 수 있을 테니까. 쿠흐흐흣."

진심으로 유쾌한 표정을 짓는 아리샤의 모습은 그녀가 처음 셰어든에 왔을 때만 해도 차마 꿈도 꾸지 못하던 것이었다. 비록 그 이유가 아무리 하찮다고 해도 말이다.

에반은 어깨를 으쓱이고는 그녀와 함께 발을 옮겼다. 뒤에서 벨루아가 조용히 따라붙으며 말했다.

"정말 바쁜 하루가 되겠습니다."
"그러게. 실은 하루 만에 안 해치워도 되는 것들인데."
"뭐래, 전부 시급을 요하는 일들뿐인데."
"네네, 알아서 모셔야죠."

한참을 두 여자와 떠들며 시간을 보낸 탓일까, 건물 복도는 이미 일어나 활동하고 있는 사람들의 활기로 가득 차 있었다.

린과 란 자매가 또 자고 있는 진에게 장난을 친 것인지 복도 위로 장난감 화살이 몇 개씩 날아다녔다.

"꺄아아아악! 바보 진이 또 화살 쏜다!"
"바보바보! 당한 쪽이 잘못인데!"
"이 버릇없는 꼬맹이들이! ······앗, 단장님. 안녕히 주무셨습니까."

쌍둥이 자매와 층과 층을 넘나드는 숨바꼭질을 벌이던 진이 복도를 걸어오는 에반을 발견하고는 급정지하며 고개를 꾸벅 숙였다.

아무리 세월이 흘러도 진이 자신을 대할 때의 과도한 예의는 고쳐질 줄을 모른다. 아무래도 이전 자신이 제프렐을 상대했던 그때 이후로 더 심해진 것 같기는 한데…… 에반은 쓴웃음을 지으며 그의 인사를 받아 주었다.

"저 녀석들이 널 좋아해서 저러는 거야. 좀만 더 친절하게 대해 줘."

"예…… 알겠습니다."

존경하는 단장님의 말씀이니 일단 고개를 끄덕이기는 하겠지만 전혀 이해하지는 못했다는 표정으로 진이 재차 고개를 숙였다.

음, 역시 텄으려나. 에반은 피식 웃으며 손을 뻗어 진의 더 벅머리를 정돈해 주었다.

"오늘은 너희도 주역이니까, 밥만 먹고 하녀들 도움을 받아 단정히 차려입도록. 식사 자리에서 또 얘기해 주겠지만 말이야."

"영광입니다! 저 꼬맹이들에게도 알려 줘야겠네요."

진의 용안이 크게 뜨이나 싶더니 다음 순간 그가 눈앞에서 사라졌다. 저 위에서 쌍둥이 자매가 깍깍 떠드는 소리가 들리는 것으로 보아 아무래도 순조로이 잡힌 모양이었다.

"저 녀석도 점점 빨라져."

아리샤가 불퉁한 표정으로 말했다. 에반이 피식 웃었다.

"너도 점점 빨라지고 있는 건 마찬가지잖아. 풍령보의 움직임은 진이나 샤인으로는 따라잡을 수 없어."
"하지만 거리를 두고 1대1 전투를 벌이면 분명 내가 당할 거야. 저 녀석 저격 능력이 요즘 더 무서워진 것 알아? 무려 5킬로미터 밖에 있는 몬스터의 머리통을 맞혀 터트렸어. 그것도 트윈헤드 오우거의 두 머리통을 한 발로 단숨에."
"그야 진의 저격 능력만 따진다면야⋯⋯."

지금 시점에서 이미 요마대전 4에서 중간 보스로 등장했을 때보다 강하지 않은가 하는 의혹이 들 정도니까 그야 어쩔 수 없다.
하지만 본편보다 강해진 것은 아리샤도 마찬가지고, 애초에 전투 분야가 다르니 기죽을 일은 아니라고 생각했지만⋯⋯ 아리샤는 이렇게 기죽을 때마다 필사적으로 노력해 성장하는 타입이니 굳이 지금 뭐라 하지는 않기로 했다.

"응원할게. 넌 더 강해질 수 있으니까."

"에반…… 후훗."

"정말 어리광쟁이가 되셨습니다, 아가씨."

그는 그저 조금 더 가까이 그녀에게 붙어 어깨를 지탱해 주었다. 아리샤의 기운을 북돋워 주기에는 그것으로 충분했다. 벨루아는 어처구니가 없다는 표정을 지을 뿐이었다.

"도련님, 일어나셨습니까."

"응, 잘 잤냐."

식당에 다 와 갈 때쯤 샤인이 나타났다. 급한 소식과 함께 왔는지 좀처럼 쓰지 않는 인상을 쓰고 있었다.

"던전이 곧 열릴 것 같답니다."

"진짜로!?"

"예. 신관들이 직접 계시를 받았다고 하니 확실합니다. 다만 예정에 없던 대변화인지라, 최악의 경우에는 도달 계층 기록이 보존되지 못했을 가능성이 있다고."

"오우……. 그럼 우리도 다 1층부터 다시 기어 올라가야 하잖아."

"기껏 던전이 다시 열리는데 이전 도달 계층까지 가려면 한참 걸리겠네……. 당분간 레벨 업은 힘들겠어."

마왕군에 의한 대공습이 있었던 그날 이후, 셰어든 던전과 펠라티 던전은 인간이 들어갈 수 없도록 폐쇄되었다. 던전에서 나오는 수입으로 먹고사는 던전 탐험가들에게는 청천벽력과 같은 사태였다.

어쩌면 그것이야말로 요마왕이 바라던 바가 아니었을까 많은 사람들이 추측했지만, 대체 어떻게 해서 그것이 가능했는지는 다들 알지 못했다. 게임 시나리오를 알고 있는 에반 한 사람을 제외하고는.

물론 에반도 설마 던전 폐쇄가 2년 넘도록 지속되리라곤 감히 상상도 하지 못했지만 말이다. 더구나 도달 계층이 초기화된다니 상상도 못 했던 재앙이었다.

"난도가 더 높아지면 높아졌지 낮아지지는 않겠지……."

"사제들도 그렇게 추측하고 있습니다. 던전이 열리더라도 사람들이 멋대로 들어가지 못하게 통제를 해야 하는 것은 아니냐는 말까지 나올 정도입니다."

"와, 그렇게 되면 던전 탐색하고 관리하는 거 전부 우리가 해야 되잖아. 기사단 발족되자마자 신나게 일하게 생겼네."

식당에 들어선 에반이 자신의 자리를 찾아 앉으며 성의 없게 만세를 하는 제스처를 취했다. 다만 실제로 던전이 열리는 것 자체는 결코 나쁜 소식이 아니었다.

던전이 열려야 탐험가가 던전을 탐험하며 신의 축복을 받아 강해질 수 있고, 몬스터를 해치우고 놈들에게서 비롯된 재화를 획득할 수 있으니까.

더구나 던전의 몬스터 소탕이 제대로 이루어지지 않으면 그게 다 나중에 고스란히 마왕군의 전력이 된다……는 것이 요마대전 3의 시나리오였다. 기사단원들을 비롯해 믿을 수 있는 몇몇의 사람들에게는 이미 전달해 둔 사실이다.

"아, 이거 계란 맛있네. 그래서 세레이나는?"

"늦잠."

"우리 공주님 정말 마이페이스네."

그래도 그때 이후로 좀 얌전해진 것 같아서 다행이라고는 생각하지만…… 에반은 반숙 계란을 한입에 욱여넣고는 우물거리며 한가롭게 그런 것들을 생각했다. 그러다 문득 생각이 났다.

"셰어든 던전이 열리면 펠라티는?"

"그쪽도 같이 열리게 될 것이라는 계시가 내려왔습니다. 도련님이 말씀하신 대로."

"역시…… 그럼, 메르딘은?"

"그쪽은 여전합니다."

피망 고기볶음에서 피망을 골라내며 샤인이 한숨을 내쉬

었다.

"여전히 도시 전체가 불투명한 결계로 뒤덮여 있어요. 안에서 무슨 일이 일어나는지 알 길이 없습니다. 들어갈 방도도 없고."

"씁."

그 말에 달콤한 계란의 풍미조차 잠깐 잊혔다. 에반은 똥 씹은 표정으로 계란을 씹었다.

대공습이 있던 바로 그날…… 메르딘에는, 요마대전 시리즈 사상 한 번도 없었던 일이 일어났다. 도시 전체가 결계에 갇혀, 외부와의 소통이 이루어지지 않게 된 것이다.

제프렐이 말했던 '우리의 목적'이라 함은 아마 셰어든도 펠라티도 아닌 메르딘이었으리라 에반은 얼추 짐작하고 있었다.

셰어든과 펠라티가 공격받은 것은, 물론 던전 폐쇄도 목적 중의 하나였겠지만, 메르딘을 지원하지 못하도록 하는 것이 가장 큰 목적이었음을 모두가 뒤늦게 알았다.

'시나리오에 의존하지 않겠다고 다짐한 바로 그날 시나리오를 전부 내팽개치게 만드는 일이 일어날 줄은, 말이지…….'

만약 에반이 정신적으로 각성을 하기 전에 그 사실에 대해 알게 되었더라면 제법 큰 충격을 받았을지도 모른다.

아니, 실은 거짓말이다. 각성을 했어도 여전히 큰 충격이었다.

"아리아 님이 나타나 주시면 그런 결계 정도는 바로 해제할 수 있을 텐데."

"몇 년째 연락도 없는데요. 차라리 린하고 란을 부지런히 성장시켜서 결계를 해제하는 쪽이 빠르지 않을까 싶습니다."

"대체 어쩌다 우리 꼬맹이들 어깨에 인류의 미래가 걸리게 된 거야?"

"여러모로 책임이 막중하십니다, 단장님."

샤인이 에반을 놀리듯 그렇게 말하며 포크로 고기를 집었다. 에반의 시중을 들던 벨루아가 그 모습을 보곤 가볍게 손을 놀려 마법을 부렸다.

구체적으로는, 샤인이 따로 떼어 내 놔두었던 피망들을 염력으로 조종해 일제히 그의 입속으로 돌진시켰다.

"야!"

"샤인의 건강은 알 바 아니지만 애들이 보고 배우는 일이 없도록 편식은 자제해."

"지금 도련님 놀렸다고 복수하는 거지!"

"응."

"아 진짜!"

어쩔 수 없이 피망을 씹으며 울상을 짓는 샤인의 모습에 벨루아는 콧방귀를 꿰었고, 에반은 오만상을 찌푸리는 샤인을 보며 피식 웃어 버렸다.

뭐, 상황은 그리 절망적이지 않다. 막말로 지금 당장 던전 기사단만 데리고 요마왕이 이끄는 군단과 붙어도 해 볼 만하지 않을까 하는 자신이 있었다. 자신이 없어도, 그것이 필요한 상황이 오면 해낼 것이다.

"에반, 빨리 먹어. 우리 곧 행사 참여해야 해."
"뭐 그렇게 빨라?"
"중요한 행사니까 당연하지."
"에휴."

에반은 한숨을 내쉬며 접시에 있던 요리를 긁어모아 입에 털어 넣었다. 귀족의 교양에는 걸맞지 않은 모습이었지만 이곳 던전 기사단에서는 그런 예절에 신경 쓰는 사람이 없었다.

"그럼 가 볼까. 우리 약혼식."
"그리고 네 성인식."

에반의 말에 아리샤가 작게 웃으며 보충했다. 둘이 자리에서 일어서는 순간 의자가 삐걱하고 부러지더니 그 파편이 에반의 손을 향해 날아들었지만, 그것이 에반에게 닿기 직전 아리샤가 날카롭게 그것을 쳐 냈다.

"바꿨는데 또 이러네. 아예 마법 금속으로 아티팩트를 만들어 설치할까 봐."
"내 주위 물건을 모두 아티팩트로 교체할 게 아니면 그만둬."
"그것도 좋은 방안이네. 바로 오르타한테 갈까."
"진정해, 아리샤."

에반은 쓴웃음을 지으며 아리샤, 벨루아와 함께 식당을 나섰다. 각오는 하고 있었지만, 그의 상상 이상으로 정신없는 하루가 될 것 같았다.

❈ ❈ ❈

그날 오후, 온갖 소동이 난무했던 약혼식을 어떻게든 무사히 마치고 드디어 에반의 생일 파티를 겸하는 연회가 열렸다.
메이벨은 에반의 처음을 빼앗겼다며 눈물을 철철 흘리면서도 그의 성인식을 위해 모든 것을 최고로 준비했고, 그 결과 누구 모르는 사람이 봤으면 셰어든의 새로운 영주가 취임식이라도 하나 착각을 했을 법한 큰 파티가 열리게 되었다.

"에반 디 셰어든의 18세 생일을 기념하며 건배!"
"에반 디 셰어든과 아리샤 폰 펠라티의 약혼을 기념하며!"

"기어이 약혼녀 자리는 아리샤 양이 차지하는구나."

"난 솔직히 메이벨이 선수 칠 줄 알았는데 말이야⋯⋯."

"나도⋯⋯."

"자자, 건배, 건배!"

"건배!"

원래 지독하게도 웃지 않는 아리샤는 이날 내내 에반의 팔에 달라붙어 싱글벙글 웃고 있었는데, 그 모습을 본 다른 여자들은 하나같이 언짢은 표정을 짓고 있는 것이 실로 웃겼다.

다만 그중에서도 가장 눈에 띄는 이가 있었으니 바로 에반의 동생 엘리자베스였다.

"오빠를 정말 빼앗겨 버렸어⋯⋯. 세상이 너무 허무해, 이런 세상은 사라지는 게 좋을 텐데!"

"야, 야야야야야! 누가 리즈한테 술 줬냐! 나는 여태껏 그렇게 철저히 마크해 놓고!"

"엘리자베스 아가씨가 테이블을 들고 난동을 부리신다! 말려, 말려!"

"힘이 아주 장사야, 장사!"

에반은 비로소 당당하게 마실 수 있게 된 샴페인 잔을 손에 쥐고도 맘 편히 연회를 즐기지 못했다. 여동생의 난동도 난동이었지만 사방에서 자신을 향해 쏟아지는 끈적끈적한 시선이 신경 쓰였기 때문이다.

"에반 공자님이 성인이 되셨네요."

"후훗, 아리샤 님도 부담이 크시겠어요. 에반 공자님의 약혼녀가 되셨으니."

"자료를 찾아봤는데 던전 기사단장은 이 나라의 귀족 중에서도 지극히 명예로운 자리로서, 과거 세어든의 던전 기사단장 중에는 처와 첩을 합해 무려 17명의 부인을 두었던 사람도 있는 모양이에요."

"어머어머, 그야 레벨이 높을 테니 그쪽으로는 아무 문제도 없었겠네요."

"하물며 에반 공자님은 역대 기사단장 중에서도 가장 강한 것으로 추측되는 분이니……."

대충 이런 식의 대화가 젊은 여자가 있는 테이블마다 쏟아져 나오고 있었으니! 그러나 안절부절못하는 에반과는 달리 모든 여자의 부러움, 질시, 증오의 타깃이 되고 있는 아리샤는 제법 여유로운 표정이었다.

"설마 본인들이 에반을 유혹할 수 있을 거라고 착각이라도 하고 있는 걸까. 참 가엽게도."

"도련님은 걱정하실 필요 없습니다. 저들이 다가오기도 전에 제가 알아서 다 처리할 테니."

"……막아 주는 건 고맙지만 그래도 처리하지는 말아 줄래?"

에반은 아리샤에 이은 벨루아의 반응에 쓰게 웃으며 샴페인을 마셨다. 얼마나 그리워하던 술인가! 더구나 이렇게 비싼 술은 전생에는 꿈도 꾸지 못했던 것이다.

처음으로 받아들인 알코올에 몸이 본능적으로 긴장하고, 혀 위로 흘러들어 오는 달콤하면서도 몽환적인 향과 맛에 에반의 입가에 절로 미소가 그려졌다. 볼에는 어느덧 가벼운 홍조가 돌았다.

"후우……."
"……."
"……."
"……."

술의 맛과 향에 감탄한 에반이 만족스러운 한숨을 내쉰 그 순간 일대에 정적이 찾아왔다. 심지어 하인들과 사투를 벌이던 엘리자베스마저 동작을 멈추었다.

단체 마비라도 걸린 듯한 그 상황을 뒤늦게 눈치챈 에반이 응? 하고 고개를 들었다.

"뭐야?"
"드디어 우려하던 순간이 오고야 말았군요……."

가장 먼저 정신을 차린 벨루아가 한숨을 내쉬며 중얼거렸다. 뒤이어 아리샤가 단단히 에반의 팔짱을 끼며 벨루아와 마찬가지로 한숨을 쉬었다.

"이 남자를 정말 우리 힘만으로 지켜 낼 수 있을까."
"글쎄요. 처음 계획했던 대로 몇 명 더 필요할지도 모르겠습니다……."

에반은 여전히 상황 파악을 하지 못하고 있었다. 실은 그저 술을 마시고 순식간에 증폭된 에반의 색기에 사람들이 넋을 잃었을 뿐이었지만 그 누구도 부끄러운 나머지 사실을 입 밖에 내지 못했던 것이다!

"에반."

그때였다. 얼어붙은 분위기를 산산조각 내며 에반에게로 다가온 이가 있었으니, 바로 올해 스물한 살이 되는 에반의 친형 에릭 디 셰어든 '자작'. 이젠 완전히 소영주로서 관록이 붙은 모습이었다.

"형!"
"파티 도중에 미안하구나. 약혼, 정말로 축하한다."
"고마워, 형……."

"고마워요, 아주버님."

이전 있었던 대공습에서 에릭은 아내를 잃었다. 아리샤와 약혼을 약속했던 에반이 식을 지금까지 늦춰 온 이유가 있다면 순전히 그것 때문이었다.

하지만 약속을 해 놓고 언제까지고 약혼식을 치르지 않는 것은 아리샤에게 너무나 미안한 일이었기에 결국 에반이 성인이 된 것을 기회로 약혼을 하게 된 것.

에릭은 진즉부터 그들에게 약혼식을 서두르라고 했던 만큼 진심으로 그들을 축복해 주었고, 에반은 그저 그것이 고맙고도 슬펐다.

"너희는 잘 해 나갈 수 있을 거다. 틀림없어."

"응. 고마워."

"물론이죠."

"……그렇지, 던전 기사단의 퍼레이드가 끝나 원점으로 돌아온 참이다. 이제 에반 네가 깃발을 넘겨받고 외칠 차례야."

"외쳐?"

"기사단의 이름 말이다. 아직까지 공표를 안 했잖아?"

에릭이 장난스러운 미소를 지으며 하는 말에 에반 역시 히죽 웃었다. 그는 아리샤의 팔짱을 낀 채 잠시 식장 밖으로 나갔다.

그러자 정말 샤인을 위시하여 던전 기사단 멤버 전원이 멋진 옷을 빼입고 정렬해 있었다.

"도련님, 아니 단장님."

샤인이 다가와 에반에게 깃대를 건넸다. 그 끝에 펄럭이는 깃발에는 던전 기사단을 상징하는 문양이 그려져 있었는데, 그것은 하늘에서 떨어져 내리는 운석을 형상화한 파워풀 한 문양이었다. 어디서 따온 것인지는 입 아프게 물어볼 필요도 없다.

"즐기시는 중에 죄송합니다만 모두 기다리고 있습니다. 짧고 빠르게 던전 기사단 이름만 외치고 돌려주십쇼."
"그러게 내가 행사는 이틀에 나눠서 하자니까. 약혼 파티하다 말고 나와서 이게 뭐야."
"다들 이 이상은 못 기다리는 거겠죠. 다 도련님이 너무 잘난 탓이니 그러려니 하십쇼."

에반은 샤인에게서 받아 든 깃대를 들어 올리며 피식 웃었다. 던전 기사단 멤버들의 얼굴이 저마다 초롱초롱하게 빛났다.
그중 일부…… 특히 세레이나 같은 이들은 에반이 아닌 에반의 팔짱을 끼고 있는 아리샤를 빤히 바라보며 석연찮은 표정을 짓고 있었지만, 그 문제는 나중에 해결하기로 했다.

"이 자리에서 천명한다!"

"우오오오오!"

에반의 쩌렁쩌렁한 목소리가 회장 밖 광장을 가득 채웠다. 어느덧 파티회장에 있던 사람들도 모두 몰려나와 그를 바라보고 있었다.

그의 팔짱을 끼고 있는 약혼녀 아리샤로 말할 것 같으면, 누가 말리지 않으면 당장 그에게 키스라도 할 것 같은 기세로 그의 얼굴을 정신없이 바라보고 있었다.

"앞으로는 셰어든 던전 기사단…… 어스트레이Astray가 셰어든을 수호한다. 던전과 마족의 모든 위협으로부터 이 도시를 지켜 낼 것이다!"

"어스트레이!"

"지금의 맹세에 한 치의 거짓도 없음을, 어스트레이의 기사단장 에반 디 셰어든이 모든 신들 앞에 고한다!"

"와아아아아아아아아아!"

"어스트레이! 어스트레이!"

"기사단장, 에반 디 셰어든 만세!"

대중이 열광했다. 지금의 그를 보고 누구나가 '주인공'이라 부르겠지만, 에반은 이미 그것조차 신경 쓰지 않는 경지에 이르러 있었다.

지금의 그는 그저, 미래가 어떻게 되든 반드시 살아남아 보이겠다는 각오로 충만한 한 명의 청년일 따름이었다. 덤으로 할 수 있으면 요마왕과 마신을 조진다. 아니, 반드시 조진다.

참고로 어스트레이는 영어 형용사로서 그 뜻은 길을 잃는, 정도에서 벗어나는, 타락하는…… 즉 외도에 한없이 가까운 뜻이었으나, 다행히도 이 세상에는 그 단어의 뜻이 알려져 있지 않았기에 들키지 않고 넘어갈 수 있었다.

셰어든 던전과 펠라티 던전이 개방을 앞두고 있다는 소식은 금세 도시 전체로, 나아가 세상 전역으로 퍼져 나갔다.

물론 다분히 의도하고 있던 일이었다. 던전이 폐쇄된 이래 던전 도시에 가득했던 탐험가들은 족히 절반 이상이 다른 일을 찾아 도시 밖으로 나갔고, 던전 도시에 남은 이들은 이 도시에 큰 애착을 품고 있거나, 기반이 너무 확실하게 잡혀 있어 이제 와 터전을 옮길 수 없는 사람 정도였기 때문이다.

"그러니 다시 사람들을 불러들이기 위해 정보를 뿌려야 한다는 것은 동감입니다만……."

"무슨 말이 하고 싶은 건지는 알고 있어. 던전이 개방된 직후 큰 혼란이 일어날 거라는 얘기지."

"그렇습니다."

샤인이 고개를 끄덕였다. 그러나 에반은 가볍게 웃으며 어깨를 으쓱였다.

"어느 시대고 경거망동하는 사람은 넘쳐 나. 대개 그런 사람들이 사고를 일으키는 법이고. ……아버지와 멜토 백작님은 그것을 알고 굳이 사실을 공표하기로 한 거야."

"희생양으로 쓰기 위함입니까. 막 개방된 던전에 도사리고 있을 위험을 가장 먼저 맨몸으로 받아 걸러 줄?"

"살아 돌아오면 지들 복인 거고. 그만한 대가도 있겠지."

"실로 비정한 방식이군요……."

부정할 생각은 없었다. 막말로 도시의 유지와 부흥을 위해 필요한 사람들이라고는 하나, 순수하게 이득에만 따라 이쪽의 입장을 무시하고 마음껏 움직이는 사람들을 진정으로 믿고 의지할 생각은 도시의 지배자들에게는 없었으니까.

"통제할 수 없는, 욕망에 따라서만 움직이는 힘은 필요 없어. 우린 지난 세월 동안 도시를 지켜 준 사람들에게 보답하기만도 바빠."

"그야, 그렇습니다만…… 정말 고마운 사람들이죠."

물론 대형 길드에 속한 이들은 쉽게 떠날 수 있는 처지가 아니기도 했기에 대부분 던전이 개방되기만을 기다리며 셰어든에 죽치고 있었다. 그들의 자금력이라면 몇 년 정도 일을 맡지 않는다고 굶어 죽는 수준도 아니었고.

　하지만 다른 사람들, 셰어든이라는 도시 자체에 애정을 느끼고 꾸준히 도시에서 버텨 준 사람들은 얘기가 다르다. 득실을 따지지 않고 셰어든을 아끼고 사랑하는 사람들. 마땅히 셰어든도 그러한 사람들을 아끼고 사랑해야 할 터였다.

　후작가 또한 물심양면으로 그들을 지원했고, 형제 코퍼레이션 또한 용병 길드를 구축해 이들을 고용, 본래부터 갖고 있던 광범위한 정보 라인을 활용해 적극적으로 이들에게 용병 업무를 알선해 주는 등 끈끈한 인연을 다지고 있었다.

　"그쪽은 좀 어때. 요즘 메이벨이 너무 바빠서 직접 보고를 받는 일이 줄다 보니까."

　"여전합니다. 다만 용병 길드를 시작하고 나서 셰어든 내의 탐험가들의 충성도가 더욱 높아지고 있습니다. 이러다 종교가 될 기셉니다."

　"후작가가 직접 나서서 할 수 없는 일을 대신 했을 뿐이잖아. 그게 그거지만 너무 대놓고 하면 눈치 보이니까."

　"사리사욕을 위해 움직이는 것도 아닌데 뭐 어떻습니까. 다들 후작 각하와 도련님을 존경하고 있어요."

형제 코퍼레이션의 영향력은 끝을 모르고 커져 가고 있었다.

바이에른 상회의 빈자리를 완벽하게 메꾸며 타국과의 라인을 성공적으로 구축한 것은 물론, 고유의 사업 아이디어가 연달아 대박을 터트리며 사업부를 늘려 어느덧 상업 국가로 불리는 베이페카를 긴장하게 만들 정도였다.

"그래서 내가 전면에 나서는 것도 점점 힘들어지고 있어. 원래 형제 코퍼레이션이 이렇게 커질 예정이 아니었는데……."

"흐, 그 덕에 메이벨 누나의 영향력만 나날이 커지고 있잖습니까."

에반과 함께 형제 코퍼레이션의 공동대표이며 그의 대리인을 맡고 있기도 한 메이벨, 메이벨 디 솔레이유.

놀랍게도 그녀는 바로 얼마 전 남작위에 봉해졌다. 새로운 사업을 구상하고 행하는 과정에서 던전 도시는 물론이고 실크라인의 발전에도 크게 이바지했다는 이유로.

그로써 상회는 세제 혜택을 얻었고, 국가는 거대 상회를 간접적으로나마 통제하에 두었다며 안심할 수 있게 되었다. 서로가 이득을 보는 관계였다. 어차피 형제 코퍼레이션에서 나라를 배신할 생각은 없었으니까.

"……그런데 요즘 메이벨이 날 대하는 태도가 이상하지 않아? 날 좀 피한다고 해야 하나, 이전처럼 스킨십을 해 오지 않는다고 해야 하나."

　메이벨의 이야기를 하던 에반의 표정이 조금 기묘해졌다.
원래 메이벨이 달라붙을 때마다 질색하는(척하던) 에반이었으
나 요즘 그런 스킨십이 줄자 조금 섭섭해진 것이다. 사람 마
음은 정말 알 수가 없다.
　이번에 있었던 에반의 생일 파티 겸 약혼식 겸 기사단 창설
식에서도 마찬가지였다. 다른 때 같았으면 에반을 향해 달려
들어도 이상하지 않았는데 그저 먼발치에서 눈물만 주룩주룩
흘리고 있었으니!

　"전혀 이상하지 않습니다만. 전 메이벨 누나의 심리를 정확
히 읽었습니다."
　"요즘 집사는 그런 것도 배우냐?"
　"예. 도련님을 위해 간단히 해설해 보자면, 손끝이라도 대
면 더 이상 참지 못할 것 같아 자제하는 심리입니다. 애정과
욕정이 컨트롤하기 힘들 만큼 커져 버린 단계라고도 볼 수 있
겠습니다."
　"아, 아냐. 아닐 거야."

　만약 정말이라면 너무 무서워서 견딜 수가 없잖아!

　"메이벨 누나도 이제 스물둘입니다, 도련님. 이쯤에서 귀족

의 포용력을 보여 주시는 건 어떻습니까. 어차피 아리샤 아가
씨 외에 벨루아도 거두실 것 아닙니까."

"야, 그건, 그."

아리샤, 벨루아와는 2년 반 전에 서로 원만한 방식으로 합
의를 보았으니까 가능한 거고……라고 말을 하자니 스스로가
너무 쓰레기 같았기 때문에 에반은 얌전히 고개를 끄덕여 두
기로 했다.

"……생각해 볼게."

"너무 늦어지면 그쪽에서 움직이겠죠. 그 전에 도련님 쪽에
서 먼저 움직이는 게 더 좋은 결과를 낳으리라 봅니다."

"이 자식이 잘난 듯이……."

지도 여러 여자 꼬셔 놓고, 그건 완전히 모르는 척하고 있
는 주제에! 당장 마리와 아나스타샤를 데려와 삼자대면이라
도 시킬까?

에반이 그런 철없는 복수를 진지하게 고려하던 그때 누군
가 에반의 집무실 문을 노크했다. 벨루아였다.

"도련님, 멀리서 편지가 왔습니다."

"누구? 설마 레오 할아버지? 아리아 님이랑 같이 돌아오
신대?"

에반은 적잖은 기대를 담아 그렇게 물었다. 던전 도시 메르딘을 가두고 있는 결계를 깰 수 있는 능력을 지닌 자는 현시점에서 공신의 사제로서 공간의 힘을 다루는 능력이 극에 이른 아리아뿐이기에.

그뿐만이 아니었다. 던전이 다시 개방되려고 하는 이 시기에 레오 부부가 돌아와 준다면 무척 든든할 것이다. 그런 기대를 담아 초롱초롱하게 눈을 뜨는 에반에게, 벨루아가 무자비하게 선언했다.

"버나드 님에게서 온 편지입니다."
"쳇."

에반이 노골적으로 혀를 찼다. 일로인, 로즈와 함께 고대의 숲으로 떠난 버나드는 몇 달 간격으로 편지를 보내오고 있었다.

처음 편지를 받았을 때만 해도 무척 반가웠지만, 매번 딸이 귀엽다는 얘기밖엔 하지 않았으므로 이젠 그의 편지를 받아도 전혀 기쁘지 않았다.

"이번에도 똑같겠지만 일단 읽어 보기나…… 뭐야, 돌아오신다고? 정말?"

그런데 이번에 받은 편지에는 사뭇 다른 내용이 적혀 있었다. 언제나처럼 에이르—일로인이 낳은 딸의 이름이었다—의 자랑을 하는 것은 마찬가지였지만, 그 끝머리에 에이르도 여행을 할 수 있을 만큼 자랐으니 슬슬 셰어든으로 복귀하겠다는 얘기가 적혀 있었던 것이다.

시기를 조율 중이지만 어쨌든 올해 중으로는 올 것이라고. 에반은 편지를 읽고도 믿기지 않아 몇 번을 다시 확인했다. 글자가 달라지는 일 따윈 없었지만 그래도 믿기지 않았다.

"내가 제대로 본 거 맞지?"

"맞습니다. 한나 양에게도 편지를 전달해 드렸습니다만, 편지를 다 읽은 순간 방방 뛰며 기뻐했으니 확실할 겁니다."

"그 누나도 참 귀엽다니까……. 아무튼 타이밍 좋게 복귀해 주시는구나. 할아버지가 셰어든에 버티고 있어 주면 여러모로 든든할 거야."

어쩌면 버나드 본인도 그것을 알고 무리를 해서라도 셰어든으로 복귀하려는 것일지도 모른다. 그렇다면 고마운 일이다.

그런데 에반은 버나드가 데려올 딸 에이르에게 줄 선물로 오르타와 협업해 액세서리라도 하나 만들어 놓을까 생각하다가, 편지지가 한 장 더 있는 것을 발견했다. 추신이 두 개 있었다. 첫 번째는 미스터리한 문구였다.

"어디…… 'P.S. – 손님을 한 분 모셔 갈 예정이다. 무척 귀한 분이다만, 셰어든을 꼭 보고 싶다고 하더구나. 그런데 내가 보기엔 그냥 널 만나고 싶어 하는 것 같았다.' ……이게 무슨 소리지?"

"간단하군요, 도련님. 드디어 엘프까지 도련님을 노리기 시작했다는 얘기입니다."

그 말을 들은 벨루아가 어째선지 전의를 불태우기 시작했다.

일로인과 로즈 모두 버나드에게 푹 빠져 있기에 그쪽은 전혀 신경을 쓰지 않고 있었는데, 설마 고대의 숲에서 엘프를 데려온다니! 그것도 만나기 전부터 이미 에반에게 흥미를 품고 있는 엘프를!

"버나드 님도 정말…… 방심을 못 하겠군요."

"대체 누구를 데려오길래 이런…… 루아? 왜 여우불을 만들고 있는 거야?"

"수련하고 있습니다. 불현듯 수련이 꼭 필요한 시기라는 생각이 들었습니다."

"야, 벨루아. 그런 건 도련님 안 계실 때 혼자서 해라. 뜨거우니까."

에반을 비롯한 던전 기사단 멤버들은 지난 2년이 넘는 세월, 던전에 들어가지 못하는 대신 에반의 철저한 교육을 따라 자신의 능력을 갈고닦았다.

모두가 확실하게 성장했지만 그중에서도 특히 눈에 띄는

성장을 이룬 이를 두 명 꼽자면 그것은 바로 진과 벨루아였는데, 진은 저격과 연사 능력이 하루하루 느는 것을 확인할 수 있었으며 벨루아는 몇 개월 단위로 전력이 큰 폭으로 늘고 있었기 때문이다.

특히 그것이 뚜렷하게 드러나는 스킬이 있으니 바로 여우불. 이전 여우불은 던전에서 신들의 축복을 받아 능력이 크게 강화되는 순간에만 숫자가 늘어났었는데, 던전에 들어가지 못하게 된 이래 벨루아는 스스로 수련하여 그 숫자를 늘렸다.

그것이 지금은 무려 열다섯 개에 달했다.

"난 솔직히 말하면 여우불은 아홉 개에서 끝날 줄 알았어."
"아홉 개? 어째서인가요?"
"미안, 그냥 내 편견이었어……."

요마대전 시리즈는 온천마을 같은 콘텐츠만 봐도 알 수 있듯 아시아 감성이 많이 들어가 있지만 구미호 설화까지는 반영되어 있지 않다는 사실을 벨루아를 통해 알게 되었다.

에반은 고개를 갸웃하며 자신을 빤히 바라보는 벨루아의 시선을 피해 편지의 남은 추신에 시선을 돌렸다. 거기엔 이렇게 쓰여 있었다.

'P.P.S. - 레오 놈은 아리아와 같이 마계로 빨려 들어간 모양이다. 얼마 전 아리아의 힘을 끌어모아 간신히 통신을 해 오

더구나. 그래서 헬 루비나 구해 오라고 대꾸한 시점에 통신이
끊겼다.'

"……."

아니 레오 할아버지가 거길 왜 가? 에반은 차오르는 두통
에 제 머리를 끌어안았다. 물론 그 둘이라면 마계에 떨어진다
고 뭐가 잘못되리라고는 상상도 할 수 없지만, 아무리 그래도
돌아올 수 있다는 보장도 없는데!

"할아버지가 돌아오면 마계에 통로를 뚫는 방법을 진지하
게 연구해 봐야겠네."

요마대전 제로에서 마계와 인간계, 천계가 합쳐진 혼원계
라는 개념이 등장하기는 하지만 그것은 어디까지나 시리즈 진
행과는 동떨어진 외전.

요마대전 제로를 제외한 시리즈에서는 본편과 DLC를 통틀
어 마계로 넘어가는 방법이 나오지 않는다. 물론 요마대전 5
이후로는 나왔을지도 모르지만 그것도 쉬운 방법은 아니겠
지. 그런데 레오가 마계로 가 버리다니!

"편지 한 통으로 날 세 번이나 놀라게 할 줄은, 버나드 할아
버지도 제법이야."

"버나드 님도 그렇지만 레오 님은 특히나 항상 저희 상상을

뛰어넘는 짓을 하시는군요. 그런 면에서는 도련님과 닮았습니다."

"닮았다고 하지 마라, 아무리 나라도 마계로 뛰어들고 싶다는 생각은 안 하니까."

"그분이라고 설마 가고 싶어서 가셨겠습니까."

아무튼 이걸로 메르딘을 뒤덮은 결계를 해제하는 데 아리아의 도움을 받겠다는 생각은 깔끔하게 접어야 할 모양이다. 샤인이 했던 말마따나 린과 란을 성장시키는 게 가장 빠른 길이리라.

"그러기 위해서라도 던전이 열려 줘야 할 텐데 말이지."

"공자님."

그때 재차 에반의 집무실을 노크하는 사람이 있었다. 이번엔 디오나였다. 그녀는 던전이 폐쇄되는 바람에 던전 레벨을 올리지는 못했지만, 지난 2년 반 동안 에반과 샤인, 벨루아에게 엄격한 교육을 받고 성장해 지금은 제법 그럴듯한 기세를 풍기고 있었다.

그리고 지금은 던전 기사단 어스트레이에 정식으로 입단한 샤인과 벨루아가 업무로 바쁜 사이 그들을 대신해 에반을 보조해 주는 하녀 겸 비서로서 일하고 있었다.

참고로 에반은 이제 다인과 디오나를 잇는 계획을 깔끔하게 포기했다. 성숙해 보였던 디오나의 나이가 생각보다 어리다는 사실을 알게 된 것이 컸다. 아무리 그래도 열 살 연상은 너무한 감이 있다.

"오늘도 바니걸이구나, 디오나."
"설령 던전에 들어가게 되더라도 양보할 생각은 없어요. 그보다 공자님, 기뻐하세요."
"던전 열렸어!?"
"……큼, 그건 아니고."

눈을 반짝이며 묻는 에반의 모습에 그를 꼭 껴안아 주고 싶은 욕망이 치솟는 것을 애써 억누르며 디오나가 품에서 서신 한 장을 꺼냈다. 그것에는 어째 낯이 익는 봉랍이 찍혀 있었다.

"국왕 폐하께서 부르십니다."
"아……."

진짜 필요 없어. 에반은 순간적으로 그렇게 생각하며 한숨을 내쉬었으나, 이어지는 디오나의 말에 안색이 창백해지고 말았다.

"국왕 폐하께서 직접 호화로운 해상 파티를 주최한다고 하십니다. 에반 공자님, 메이벨 디 솔레이유 남작님, 거기에 세레이나 왕녀 전하까지 총 세 분을 초대하신다고. ……약혼녀인 아리샤 님에 대한 얘기는 없네요. 아마 고의겠지요."

"해, 해상 파티……?"

"……왜 그 부분에 반응하시는 건가요, 공자님?"

디오나는 그의 반응을 이해하지 못해 고개를 갸웃했지만, 그녀보다 압도적으로 긴 세월 에반과 함께해 온 샤인과 벨루아는 이 시점에서 대충 눈치를 채고 있었다.

보나 마나 또 에반이 시답잖은 걱정을 시작할 것이라는 사실을!

❖ ❖ ❖

"안 돼, 에반 오빠! 제발 그러지 마!"

세레이나가 결사적으로 외치며 에반의 손에 들린 옷을 붙들었다. 그 옷은 무척 붉은 천으로 만들어진 것으로, 주름이 세심하게 잡혀 있어 마치 구불거리는 듯한 인상을 주었다.

그래, 꼭 문어를 형상화한 것만 같은 옷이었다.

"나 크라켄 보고 싶단 말이야!"

"크라켄은 말이지, 우리가 옛날에 잡았던 골렘하고는 비교도 안 되게 강한 필드 보스야. 그게 나타나면 사천왕도 꿀꺽

이라고, 꿀꺽."

"나도 이전보다 훨씬 강해졌는걸! 가슴도 훨씬 커졌는걸!"

"지금 네 가슴은 상관없잖아."

엄청 커졌다는 사실 자체는 부인할 수 없지만! 에반은 엉엉 울며 옷에 매달리는 세레이나를 억지로 떼어 내고는 그것을 벨루아에게 넘겼다. 벨루아는 조금의 망설임도 없이 그것을 태워 버렸다.

"앗, 아아앗! 안 돼애애애애애!"

"후, 악은 무사히 소멸했다……."

이로써 왕도의 오트파 부티크에서 매입한, 해상 파티에 입고 나가면 반드시 재앙을 부르고 마는 공포의 문어 옷이 무사히 소각되었다.

수년 전 구입을 하고도 그동안 무서워 건드리지 못하다가 이번에 아예 뒤탈이 없도록 깔끔하게 제거한 것이다.

"힝, 그걸 입은 오빠를 보고 싶었는데."

"나보고 크라켄한테 잡아먹히라고!?"

"내가 길들일 거니까 괜찮았는데. 정말 자신 있었는데……."

[뀨우웃!]

[뀨웃!]

진심으로 풀이 죽은 세레이나를 그녀의 슬라임들이 달래 주었다. 슬라임은 네 마리로 늘어나 있었는데, 막내는 불과 1년 전 에반의 목걸이를 탈출해 멤버로 합류한 녀석으로 이름은 루이라고 했다.

가장 최근에 소환이 가능하게 된 슬라임…… 바로 메탈 슬라임 엘리트로서, 능력은 다른 슬라임보다도 훨씬 공격적이었다.

"에반 오빠 미워. 이럴 거라면 차라리 말을 해 주지 않았더라면 좋았을 텐데……."

"설명 안 해 주고 바로 태우려고 했는데 네가 귀찮게 굴었잖아."

"그치만 정말 멋진 옷이었는걸. 오빠한테 잘 어울렸을 텐데."

"우리 레이는 왜 다른 부분은 괜찮은데 하필 옷을 고르는 센스가 엉망인 걸까."

세레이나는 지금도 본인이 아니고선 도저히 소화할 수 없을 분홍색의 원피스를 입고 있었다.

에반은 촌극의 끝을 선언하고는 자리에서 일어났다. 방 안에는 에반과 벨루아, 세레이나를 제외하고도 기사단의 시니어 멤버 전원, 거기에 더해 디오나가 자리하고 있었다.

"아무튼 그렇게 돼서 나랑 레이는 폐하가 여는 해상 파티에 참여하게 될 거야. 왕도 북서쪽에서 뻗어 나오는 엘토 프렌트 대해. 이 위로 쭉 올라가면 그 유명한 북방 대륙, 영원빙하로 이어지는 거지."

"실크라인 국왕 그 영감탱이, 나와 에반의 약혼 소식을 못 들었을 리 없을 텐데 나를 일부러 빼놓다니 결코 용서하지 않 겠어. 결코……."

"이해해 줘, 아리샤. 그 영감탱이는 지금 발등에 불이 떨어 진 상태일 테니까."

아리샤는 국왕이 눈앞에 있었으면 당장에라도 복부에 레이 피어를 몇 발 찔러 넣을 기세였지만 에반은 쓴웃음을 지으며 그녀를 진정시켰다.

사실 그는 오히려 자신이 아리샤와 약혼했기 때문에야말로 국왕이 그를 이 시점에 부른 것이라고 생각했다.

"생각해 봐, 일단 나는 실크라인의 귀족이잖아. 이런 말로 하긴 뭐하지만 지금 도시에서는 거의 제일의 강자 취급을 받 고 있고, 이번에 어스트레이를 창설하기도 했고."

"취급이 아니라 실제로 절대적인 강자잖아. 네가 유성우를 떨어트려 마왕군 사천왕을 격살한 걸 모르는 사람이 없는데."

"내 스스로 얼굴에 금칠하는 건 거북하단 말이야. 아무튼, 거기에 더해 형제 코퍼레이션의 실질적인 주인이기도 하지. 그러니 만약 내가 딴마음을 먹기라도 하면 국왕 입장에서는 굉장히 곤란해져."

물론 에반은 실제로 그럴 생각이 전혀 없지만 그가 지닌 강대한 힘은 그것만으로도 불안 요소가 될 수 있다. 사람은 자신이 통제하지 못하는 힘을 두려워하는 것이다.

"그런데 그 상황에서 내가 덜컥 타국의 귀족인 너와 약혼을 해 버린 거야. 그것도 세레이나가 우리 기사단에 들어와 있는 상황에서. 이게 국왕에게는 어떻게 보였을까……. 실크라인 왕궁에 시위라도 하고 있는 게 아닐까, 하는 생각을 하기에 충분해."

"더 제대로 챙겨 주지 않으면 딴맘 먹을 수도 있으니 알아서 모시라는 시위?"

"표현이 조금 걸리긴 한다만…… 그래, 뭐 대충 뜻은 통하네."

다시 말하지만 에반에게는 전혀 그럴 의도가 없었다. 에반과 아리샤의 약혼에는 놀랍게도 정치적인 의도는 전혀, 정말이지 전혀 들어가지 않았다.

에반 본인의 마음으로만 따지면, 그는 벨루아를 가장 좋아한다. 이제 와 그걸 숨길 생각은 없고 아리샤도 그것을 알고 있다.

다만 벨루아의 타고난 신분 문제도 있고, 대외적으로는 이미 아리샤가 에반의 약혼녀라고 알려져 있던 것도 무시할 수 없으며, 그동안 아리샤에게 마음고생을 시킨 것에 대한 미안함과 그녀가 에반의 상황을 이해하고 포용력 있게 받아들여주기로 한 것 등등의 이유가 종합적으로 작용해 둘의 약혼이 성사된 것.

물론 에반이 아리샤를 좋아하는 것도 사실이다. 두 사람이 서로에게 갖는 감정의 질과 양이 동등하지 않다 해도, 분명 둘의 감정은 어긋나지 않고 이어져 있었다.

"잠깐만, 에반."

멍하니 얘기를 듣고 있던 아리샤의 표정이 심상치 않게 변했다.

"그러면 국왕이 지금부터 할 짓이 일목요연하잖아. 너한테 뇌물을 먹여서라도 어떻게든 세레이나와도 약혼을 시키려는 거 아냐?"

"응, 뭐 속으로 그걸 바라고는 있겠지."

그렇다. 우선은 거기서부터 시작하려 하겠지. 그리고 가능하면 아리샤보다 먼저 세레이나와 에반을 결혼시키고 싶어 할 것이다.

말도 안 되는 일 같지만 한 나라의 국왕이라는 작자들은 원래 이런 일을 태연히 해치울 수도 있는 것이다.

"역시 나도 가야겠어. 국왕과 만나서 대화를 해야지. 레이 피어와 마법으로 말이야."

"그러니까 진정하라고."

에반은 쓴웃음을 지으며 아리샤를 달랬다. 그러면서 세레이나를 힐끗했다. 자신과 에반의 약혼이라는 화제에 그녀가 끼어들지 않을 리 없다고 생각해서였는데, 의외롭게도 세레이나는 얌전했다.

"레이, 괜찮아?"

"응…… 아니, 조금 안 괜찮을지도 몰라."

세레이나의 대꾸는 역시나 조금 이상한 것이었다. 에반이 눈썹을 치뜨자 그녀는 에반을 빤히 바라보며 볼을 붉게 물들였다.

"야, 약혼은 조금 아니지 않을까 싶은데……."

"……."

"……응? 세레이나 너 미쳤어?"

에반이 아닌 아리샤가 경악해 물었다. 그러나 세레이나는 아까 문어 옷을 불태우지 말라며 에반에게 매달렸을 때와는 사뭇 다른 느낌으로 볼을 부풀리며 화를 냈다.

"나랑 에반 오빠는 아직 제대로 뽀뽀도 못 해 봤는데, 아빠가 멋대로 나랑 에반 오빠를 약혼시키는 건 이상하잖아. 나랑 에반 오빠가 약혼하는 건데 다른 사람이 간섭하는 건 싫어."

"……이게 자신의 권력을 활용해 셰어든에 억지로 눌러앉은 여자의 대사야?"

아리샤가 경악해 외치듯이 말했다. 그런 그녀를 방 안에 있던 모든 이가 빤히 바라보았다. 정적을 참다못한 에반이 대표로 그녀에게 말했다.

"그걸 아리샤 네가 말해도 되는 거야?"

"그래서 난 결국 그런 거 신경 쓰지 않고 네 약혼녀 자리까지 쟁취했잖아. 내 사랑은 투쟁이고 쟁취야. 난 에반의 첫 번째가 된 나 자신이 한없이 자랑스러워."

"한 점 부끄러움도 없이 그걸 당당히 자랑하는 네가 참 멋지다고 생각해."

"부끄럽게……."

정말로 기뻐하는 아리샤를 놔두고 일행은 세레이나에게 시선을 고정시켰다. 그녀는 머뭇거리며 설명을 이었다. 도저히 믿기지 못할 말을, 입 밖에 냈다.

"아빠가 나랑 에반 오빠를 강제로 약혼시키려고 하면 오빠가 날 미워할지도 모르잖아."

"아니, 나야 그분 입장도 이해하고 있으니까 미워하진 않겠지만…… 레이가 원래 그런 것까지 생각해 줄 줄 아는 아이였던가?"

"에반 오빠 너무해. 나도 섬세한 나인데."

"윽, 미안."

에반은 이전 아리샤와 있었던 일 때문에 섬세한 나이라는 단어에는 약했다. 그런데 그가 세레이나에게 솔직하게 사과하는 와중, 아리샤와 벨루아는 세레이나를 빤히 바라보며 대화를 나누었다.

"어떻게 생각해?"

"……더 위험해진 것 같네요."

"역시 너도 그렇게 생각해?"

"돌발 상황이 일어날 확률은 줄어들지 않을까 싶습니다만…… 하지만 도련님은 아마 이쪽에 더 약하지 않을까 하고."

"나도 그걸로 통했으니까 말이지……."

"흐음, 그랬습니까. 저도 참고하겠습니다."

에반은 둘이 나누는 대화를 코앞에서 듣고 있으면서도 대체 무슨 얘기를 하고 있는 것인지 제대로 감을 잡지 못했다. 다만 상황을 정리할 필요성은 느꼈기에, 손뼉을 쳐 일행의 시선을 자신에게 집중시켰다.

"나와 레이 본인의 감정은 일단 제쳐 놓고, 경제적, 정치적,
사회적 이유만 놓고 봐도 지금 당장 레이와 약혼할 수는 없어.
아마 국왕도 대놓고 그 얘기를 꺼내지는 못할 거야."

바로 얼마 전 아리샤와 약혼을 한 에반이 국왕의 말에 넘어
가 또다시 세레이나와 약혼을 하는 것도 웃긴 일이지 않겠는
가. 아리샤의 걱정이 과한 것이다.

"그러니 걱정하지 말고 이곳에서 기다리고 있어."
"크윽……. 벨루아, 이렇게 됐으니 너만이라도 가서 세레이
나를 견제해 줘."
"……그것이."

그 부분에서 벨루아가 실로 비참한 표정으로 고개를 떨구었
다. 한편 반대편에서 샤인이 우쭐해 고개를 치켜들고 있었다.

"이번엔 제 차롑니다. 연애 사업으로 고생하시는 건 알고
있습니다만 저도 양보는 못 합니다."
"아, 샤인 제발."
"이미 그렇게 결정된 겁니다. 이번에 도련님을 수행하는 건
접니다."

어스트레이가 정식으로 발족하고 기사단원 한 명 한 명의 존재가 던전 도시에 있어 무척 중요해진 만큼, 그들이 원한다고 아무 때나 도시를 비울 수는 없는 노릇이었다.

그래서 세레이나와 에반을 제외하고 시니어 멤버 중 한 명만이 에반과 동행하게 되었는데, 저번엔 벨루아가 에반을 수행했으므로 이번엔 샤인의 차례가 된 것이다!

"에반, 여행 멤버는 정말 그걸로 고정이야?"

"지금은 언제 던전이 다시 열릴지 모르는 중차대한 시점이잖아. 이 이상 기사단원을 여행 멤버로 뺄 수는 없어. ······사실은 나도 나가기 싫어. 왜 꼭 하필이면 이런 타이밍에 도시를 비워야 하는 일이 생기는 건지 모르겠다니까."

"그건······ 그렇지."

2년 반 전 있었던 일 때문에 에반은 자신이 외부 스케줄로 도시를 비워야 하는 상황에 약간의 트라우마를 갖고 있었다. 아리샤도 그것을 이해했기에 고개를 끄덕이면서도······ 다음 순간에 다시 고개를 치켜들었다.

"그러니만큼 부단장만이라도 도시에 남아야 하는 것이 아닐까?"

"아, 말하는 걸 잊었네. 어스트레이가 정식으로 발족하고 위계도 다시 정리했거든. 간단하게 말하면 우리 어스트레이는 부단장이 두 명이야. 샤인이 첫 번째고, 두 번째 부단장은 아리샤 너야. 승진 축하해.”

“고마워, 고맙지만 지금은 기쁘지가 않아……!”

참고로 그 외에도 프라임Prime이라는 직위를 만들었는데, 그것은 기사단 내에서도 독보적인 입지를 차지하고 있는 라이한을 위한 자리였다.

그 외에는 정기사, 견습 기사의 직위가 있고, 지금 기사단에 포함된 멤버는 시니어, 주니어 가릴 것 없이 전원 정기사였다. 앞으로 기사단에 들어오게 되는 이가 있다면 그, 혹은 그녀는 견습에서부터 시작하게 될 것이다.

“내가 없는 동안은 애들 통솔 잘 부탁해. 벨루아, 너도 내가 없는 동안엔 아리샤를 잘 도와줘.”

“도련님…….”

벨루아는 에반의 부탁에 아주 살짝이나마 불만스러운 표정을 지었지만, 이내 에반의 옷소매를 붙들며 작게 고개를 끄덕여 주었다.

“빨리 돌아와 주세요. 너무 늦으시면 제가 직접 찾으러 가겠습니다.”

“걱정하지 말고 기다려라, 벨루아. 내가 도련님을 확실하게 지킬 테니까!"

"샤인, 닥쳐."

"아니 왜!? 이럴 땐 오빠만 믿고 맡기겠다는 말을 해야지!"

"샤인, 닥쳐."

"아리샤 아가씨까지!?"

눈치도 없이 끼어든 샤인이 역시나 욕을 먹었다. 에반은 픽 웃으며 두 여자의 불안을 달래 주었다.

"이번 파티에는 메이벨도 같이 가잖아. 녀석이 나랑 세레이나가 약혼반지를 주고받는 꼴을 두고 볼 것 같아?"

"에이, 설마 국왕 앞에서도 그럴까."

"……아니, 메이벨 언니라면 혹시 모릅니다. 그 사람의 행동 원리에 신분이라는 제약은 포함되지 않으니까."

두 사람이 메이벨의 폭주 여부에 대해 진지한 말투로 이야기를 시작하려 했다. 에반은 이만하면 소기의 목적은 달성했다는 생각에 재차 손뼉을 두드렸다.

"그러면 지금부터는 내가 없는 동안 기사단 운영을 어떻게 해야 할지에 대해 얘기해 봅시다. 그리고 가장 중요한 것, 내가 없는 사이 던전이 열리거나 외부 침입이 발생했거나 했을 때의 통신과 대처 방법에 대해서도."

"그러고 보면 그게 본론이었지요. 듣겠습니다."

"······라이한 형, 요즘 너무 방관만 하는 것 같지 않아요?"

"글쎄요, 공자님. 저는 요즘 깨달은 것이 있습니다."

내내 그들의 다툼을 그저 지켜보고만 있던 라이한이 득도한 고승과 같은 표정으로 선언했다.

"내가 무엇을 하려 해도 달라지는 것이 없으니 그녀들에게 모두 맡겨 두면 어떻게든 해결이 된다."

"이 형이 이젠 아무렇지도 않게 최악의 발언을 하네."

"이래 봬도 무수한 고민과 발버둥과 저항이 있었던 끝에 나온 결론입니다. 부디 공자님도 흐름에 순응하시길."

"······."

현기마저 느껴지는 라이한의 말에 에반은 아무런 대꾸도 하지 못하고 침묵했다. 라이한의 눈에서 반짝이는 것은 총기인가, 그렇지 않으면 눈물인가······ 그는 이젠 더는 알 수 없었다.

그로부터 이틀 후, 에반 일행은 해상 파티가 열리기로 예정되어 있는 왕도 북서쪽으로 향하는 마차에 올랐다.

해상 파티의 초대장을 받은 에반과 메이벨, 세레이나. 그들을 수행할 호위 기사인 다인과 바니걸 하녀 디오나, 마지막으로 부단장 샤인이 함께하는 짧은 여행이 시작된 것이다.

지난 2년 반의 세월 동안 성장한 것은 던전 기사단뿐만이 아니다.

마족군 대공습의 재앙을 이겨 낸 셰어든의 모든 병력은 에반의 가르침을 보다 적극적으로 받아들여 피나는 훈련을 거듭해 진정한 정예로 거듭났고, 대공습을 막는 데 크게 공헌한 몇몇 길드 또한 에반의 비전을 몇 개인가 전수받아 강해질 수 있었다.

핏빛 사과의 마녀들은 던전에 들어가지 못하게 되어 당장의 성장이 막혔지만, 그 대신 에반에게 몇몇 마도의 숙련을 혁신적으로 돕는 꼼수를 몇 가지인가 배워 거기에 매진했다. 남성 멤버들은 물론 에반의 철저한 교습으로 크게 성장할 수 있었다.

하지만 그중에서도 뚜렷한 성장을 거둔 것이 있었으니, 그것은 바로…….

"벌써 왕도에 도착했나요!?"
"역시 우리 고스트 왜건이야!"

천둥새 길드에서 징수한 이래 에반의 탈것으로서 크게 활약해 온 고스트 왜건!

쓰면 쓸수록 성능을 발전시켜 온 이 마차는 마녀 중에서도 마도구 제작과 개조에 능한 크테아실의 도움을 받아 보다 강화되었으며, 놀랍게도 그 이후로도 계속 스스로 성장해 오고 있었던 것이다!

터무니없이 빠르고 아늑하며 물 위도 내달릴 수 있는 성능의 이 마차는, 이러다 조만간 하늘도 날 수 있는 것이 아닐까 싶을 정도였다!

에반은 이 마차를 탈 때마다 천둥새 길드에게 심심한 조의를 표하곤 했다. 에반의 애차를 마련해 주고 죽었으니 놈들의 생애에도 분명 의미는 있었으리라.

"슬슬 애칭을 붙여 줘도 괜찮을지도 몰라."
"내가 붙여도 돼?"
[꾲!]
[꾲꾲?]

성문에서 신분 검사를 마치고 왕도 내부로 들어선 후로도 씩씩하게 내달리고 있는 고스트 왜건의 내부를 툭툭 두들겨 주며 에반이 중얼거린 말에 세레이나가 반응했다.

에반은 녀석의 어깨에 두 마리, 무릎에 두 마리 앉아 있는 슬라임들의 모습을 보며 순간 녀석들의 이름을 떠올리고 떨떠름한 표정을 지었으나 마땅히 거절할 이유도 없었기에 고개를 끄덕여 주었다.

"그래, 그러든가. 하지만 루에프는 안 돼."
"좋아, 그럼 이 마차의 이름은 루지야!"

세레이나가 조금의 머뭇거림도 없이 외쳤다. 에반은 이제 슬슬 세레이나의 네이밍의 법칙을 알 것도 같은 기분이 들었다.

　"일단 우리 가문이 보유하고 있는 저택으로 가자. 해상 파티는 내일이니까 출발할 때까진 그곳에서 쉴 거야."

　"그때 그곳이구나."

　"저는 이번이 처음입니다만. 저택 구조를 익혀 둬야 할까요?"

　"어차피 하루만 머물 곳인데 뭐. 디오나 너는 내가 원할 때 차만 끓여 주면 돼."

　"아무렇지 않게 말씀하시지만 그것도 제법 위험한 일이에요."

　디오나는 입술을 삐죽 내밀었다. 메이벨이 그 모습을 보며 쯧쯧 혀를 찼다.

　"별장도 엄연히 주인의 집인데 별다른 말이 없어도 미리 파악해 놔야지. 거기에 주인이 시킨 일에 토를 달기까지 하다니! 역시 이 여자는 바로 자르는 게 좋겠어요, 도련님. 전속 시녀 노릇이라면 제가 훨씬 잘할 자신이 있다구요!"

　"메이벨, 하고 싶은 말은 많다만 한마디만 할게. 넌 이제 시녀가 아니라 귀족이야."

　"상회 대표 같은 건 언제든 관둘 수 있답니다! 도련님께서 말씀만 내려 주시면!"

　"그거 관둬도 귀족이니까 포기해라. 게다가 네 작위 세습까지 되잖아."

왕도 중심가로 들어선 고스트 왜건은 곧 셰어든 후작가의 왕도 저택 입구에 멈추었다. 미리 연락을 받은 하인들이 일렬로 늘어서 대기하고 있는 것이 보였다.

"어서 오세요, 도련님!"
"오랜만에 뵙습니다, 도련님! 건강해 보이셔서 다행입니다!"
"응, 다들 반가워. 그러지 말고 편히 있어."

샤인의 도움을 받아 내려선 에반은 상주하며 저택을 돌보던 하인들의 인사를 받아 주고는 일행과 함께 안으로 들어섰다. 그런데 그에게서 코트를 받아 든 집사가 에반 곁으로 따라붙으며 조용히 고했다.

"국왕 폐하께서 서신을 보내셨습니다."
"말도 안 돼."
"파티가 열리기 전 도련님과 만남을 갖고 싶어 하십니다. 자세한 내용은 서신에 있으니 그것을 확인해 보시면……."
"아아아…… 귀찮아 죽겠네. 30분 후에 응접실로 가져와 줘."
"알겠습니다."

하루도 채 안 되는 시간 동안 머무를 방에 짐을 푼 에반이 평소 아버지 소라인 후작이 쓰던 응접실의 안락의자에 몸을 묻고는 디오나가 타 준 독차를—메이벨은 이것마저 질투했으나 독차를 끓이는 것은 애초에 그녀의 권한 밖의 일이었다—입에 머금고 있을 때, 집사가 노크를 한 후 안에 들어왔다.

"허…… 실로 헌앙해지셨습니다, 에반 도련님. 정말로 훌륭한 귀족이 되셨군요."
"나도 이제 성인이잖아. 어때, 이러고 있으니까 아버지랑 좀 비슷해 보여?"
"……그, 위엄 있는 분위기가 참 닮았군요!"
"응, 위엄. 그래."

예전부터 생각했던 것이지만 수도 저택의 집사는 감정을 숨기는 게 영 서투르다. 에반은 고개를 절레절레 저으며 찻잔을 비웠다. 그 옆에서 메이벨이 코웃음을 치며 말했다.

"후작님은 침팬지고 우리 에반 도련님은 세상의 왕자님인데 종부터 다른 둘을 어떻게……."
"샤인, 메이벨 입 좀 막아."
"옙."
"읍! 으읍읍!"

에반은 메이벨이 해상 파티에서 엄한 말을 하지 못하도록 미리 침묵 마법이라도 걸어 두어야 하는 것일까 진지하게 고민했다.

한편 집사는 메이벨의 말을 애써 못 들은 척하며 에반에게 국왕의 인장이 찍힌 편지를 건네주었다. 요 바로 전에도 봤던 인장이 실로 얄미워 그것을 벅벅 긁어내고 편지를 읽었다. 내용은 예상한 대로였다.

"어떻습니까, 도련님?"

"나랑 레이…… 그러니까, 세레이나 왕녀만 궁에 오르라고 적혀 있네. 그것도 오늘 저녁 만찬회에."

"아빠가? 정말 성질도 급하다니까."

"폐하께서 정말로 도련님을 중히 여기시는군요. 당연한 일입니다만."

집사를 비롯해 수도 저택에 상주하는 하인들이라 해도 세어든에서 무슨 일이 일어나고 있는지에 대해서는 정기적으로 연락을 주고받고 있기에 물론 파악하고 있었다.

그중의 절반만 사실이라고 해도 국왕이 감히 에반을 함부로 대할 수는 없을 것이다. 더욱이 공주인 세레이나가 에반을 대하는 태도만 봐도 대충 그들 관계의 구도가 잡혔다.

"답신은 할 필요 없이, 바로 궁에 들면 된다 하셨습니다."

"레이가 같이 있으니 별문제 없겠지. ……그래도 수행원 한

명 정도는 데려갈 수 있을 것 같은데."

"저요?"

"메이벨 넌 귀족이라서 안 된다고 몇 번을 말해."

에반의 시선이 샤인과 디오나, 다인 사이를 오갔다. 일단 디오나는 제외했다. 그녀의 화려한 외모와 프로포션만으로도 충분히 자극적인데 거기에 도발적인 바니걸 의상까지 더해지면 분란을 일으킬 여지가 있었다.

"공자님의 취향이라고 얼버무리면 되지 않을까요? 해상 파티에서도 같은 변명을 할 준비는 일단 해 뒀는데요."

"자연스럽게 주인을 함정에 떨구려는 거 봐. 그랬다간 나중에 사교 모임에 나갔다가 바니걸 의상을 입은 귀족 영애들한테 포위되고 말 거라고!"

순간적으로 뇌리에 그 광경을 떠올린 에반은 '좋을지도 모르겠는데' 하고 생각해 버린 자신을 저주하며 망상을 머릿속에서 지워 냈다.

파티에서는 어떻게든 변명이 먹히지만 왕궁에서는 용서가 없다. 에반은 디오나에게 얌전히 쉬고 있으라는 당부를 내린 후 결국 샤인에게 동행을 명했다. 다인이 씁쓸한 표정을 지으며 어깨를 축 늘어트렸다.

"저도 그동안 열심히 수련했는데……."

"아 진짜 이것들 다 귀찮네!"

그날 저녁, 에반은 정말 세레이나와 샤인만 데리고 궁에 올랐다.

오랜만에 왕녀가 궁에 복귀한 일로 인해 제법 소란이 일었지만 에반은 일일이 사람들의 장단에 맞춰 줄 생각이 없었기에 여기저기 붙들리는 세레이나를 잡아끌고 곧장 대기실로 향했다.

"드디어 왔구나, 이놈아!"

그런데 에반 일행에게 주어진 대기실에 금세 노크도 하지 않고 불청객이 찾아들었으니, 바로 소르데 L. 레오나인 공작과 그 딸이며 동시에 메나톤의 영주직을 맡고 있는 아나스타샤 L. 레오나인이었다.

"켁."

"보자마자 무례한 언사구나, 이 망할 놈이."

"아뇨, 각하를 너무 오랜만에 뵙게 되니 반갑고 놀라워서……."

"와, 곰 삼촌!"

전혀 예상치 못했던 타이밍에 나타난 소르데 공작의 모습에 당황한 에반이 어버버하는 와중 지원군이 먼저 앞으로 나섰다. 다름 아닌 세레이나였다.

"삼촌 무지 오랜만이다!"

"허어, 너 혹시 세레이나냐? 예쁘기야 예전에도 엄청 예뻤다만 못 보던 사이 무지하게 컸구나! ……특히 가슴이 엄청 컸구나!"

"곰 삼촌은 여전히 변태구나? 공주한테 막말을 해도 작위가 든든하게 지켜 주니까 정말 다행이네!"

껄껄 웃으며 공주에게 최악의 성희롱 발언을 하는 소르데 공작과 깔깔 웃으며 공작을 매도하는 세레이나의 조합은 제법 그럴듯했다. 그 모습을 보며 에반도 간신히 진정을 되찾았다.

그는 공작을 따라온 공녀 아나스타샤에게 적당히 샤인을 데리고 나가 인사를 나누라는 사인을 보내며, 아나스타샤를 에스코트하는 샤인의 모습을 발견하고 곧장 시비를 걸려는 공작을 절묘하게 가로막으며 말을 건넸다.

"역시 각하도 파티에 오시는 건가요?"

"끙…… 오냐, 당연하지. 이번 파티가 무슨 자리인지 모르는 게냐? 사교 집단 소탕, 그리고 셰어든 던전의 재개방을 기념하는 자리이지 않더냐."

"그러고 보면 그랬죠."

물론 에반도 알고는 있었다.

사교 집단 소탕이란 이전 바이에른 상회의 몰락에서 시작된 일이다. 바이에른 상회는 국왕에게 비밀로 막대한 사병 집단을 만들다가 그것이 발각되어 멸하게 되었는데, 그 배경에는 요마대전 4에서 준동하는 사이비 종교 집단이 개입해 있었던 것이다.

그 사건을 계기로 몇몇 귀족, 상회, 집단의 형태로 실크라인 전역에 도사리고 있던 사이비 종교 집단에 관한 정보를 확실히 ─ 에반의 적극적이면서도 은밀한 제보 덕택에 ─ 정리한 왕실은 요 몇 년간 사교 집단 소탕에 집중했고, 이번에 비로소 그 결실이 나왔다.

정확히 말하면 그들은 종교로 위장한 흑마법사 집단으로, 그중 상당수가 레오나인 공작령의 미개척지에도 잠복하고 있었으므로 소르데 공작도 요 몇 달간 상당히 바쁘게 움직여야 했다.

"하긴 그러니 공작 각하까지 부르셨겠죠. 그렇다는 건 단순히 해상 파티를 위한 명목은 아니었구나."

"뭐어 반쯤은 명목이 맞을 게다. 얼마 전 너와 약혼했다는 계집은 놔두고 너와 세레이나만 부른 걸 보면 형님 폐하의 생각을 익히 알 만하지."

공작은 그런 말을 하며 두터운 입술을 삐죽였다. 중년 남자가 노골적으로 삐진 표정을 짓는 꼴이 보기 싫은 수준을 넘어 섬뜩하기까지 했지만 아무튼 그가 지금 상황을 그리 마음에 들어 하지 않는다는 것만은 잘 알 수 있었다.

"그래, 네 생각은 어떠냐. 혹시 세레이나도 성에 차지 않는 거냐? 분하긴 하다만 우리 아샤보다 더 예쁘고 능력도 있는 녀석인데."

"곰 삼촌!"

소르데 공작의 무심한 말에 세레이나가 빽 소리를 질렀다. 그녀의 얼굴이 전에 없이 붉게 물들어 있었다.

"여기서 에반 오빠가 덜컥 그렇다고 해 버리면 내 여린 마음이 산산이 조각날 텐데 꼭 그렇게 대놓고 물어봐야겠어!"

"네 마음은 강철로 만든 것 아니었냐?"

"유리알 같은 마음을 가진 섬세한 소녀인데! 그리고 에반 오빠한테는 강철 같은 권력도 소용없단 말이야! 하여간 겉도 속도 완전히 곰이야."

세레이나는 투덜투덜 중얼거리며 한쪽에 마련된 소파에 몸을 묻었다. 몸을 쭈그리며 무릎을 당겨 끌어안으니 제 가슴팍에 얼굴을 묻는 터무니없는 광경이 연출되어 에반은 잽싸게 고개를 돌렸다.

마찬가지로 그 광경에서 고개를 돌린 공작이 아연한 표정으로 말했다.

"……네 마음은 몰라도 저 녀석 마음은 확실히 알겠구나. 설마 네가 저 말괄량이를 저렇게 만들어 놓을 줄은 내 상상도 못 했다."

"각하가 확실히 섬세함이 부족하시기는 하네요."

"그래서 넌 어떠냐?"

"진짜로 섬세함이 부족하시네요."

에반은 한숨을 내쉬었다. 세레이나 녀석, 고개를 파묻고는 있지만 귀만은 쫑긋 세우고 있는 것이 보였다.

안 그래도 요즘 들어 세레이나가 자신을 대하는 태도가 조금씩 조심스러워지는 것이 느껴지는데, 이걸 좋은 타이밍이라고 해야 할지 나쁜 타이밍이라고 해야 할지…….

"제가 말씀드릴 수 있는 건."

에반은 일단 살짝 열려 있던 문을 닫아 바깥으로 소리가 새어 나가지 않게 차단하고는 큼, 헛기침을 했다.

"싫었으면 몇 년 동안 데리고 있지는 않았겠죠."

"호오. 너도 사내는 사내구나!"

사실 시작은 세레이나의 억지 그 자체였지만 그것은 굳이
입에 담지 않았다. 중요한 것은 지금 그들의 관계 아니겠는가.
에반은 이전 세레이나가 자신에게 했던 말을 기억했다. 그가
없는 동안 도시를 지켜 낸 세레이나를 기억했다. 솔직히…… 그
녀가 싫을 이유가 없다.

"그럼 오빠 나 좋아해!?"
"부끄러워하는 척하던 건 어디 팔아먹었냐?"

세레이나가 벌떡 일어서며 눈을 반짝이는 모습에 에반은
기가 차 대꾸했다. 그래도 예전 같았으면 환호를 지르며 끌어
안았을 것을 그러지는 않으니 다행이라는 생각이 들었다.
……조금 아쉽기도 했다.

"아, 그러고 보면 매튜 공자는 같이 안 왔어요?"
"왜 안 왔겠냐. 아샤를 데려오는데 매튜가 빠질 리가 없지.
네게 인사를 오지 않았을 뿐이다."
"하긴 인사를 올 이유가 없죠. 저도 설마 각하가 제 얼굴을
보러 미리 오실 줄은 상상도 못 했으니까…… ."
"큼."

에반의 말에 공작은 괜한 헛기침을 하며 문 너머에 잠시 시선을 주었다. 에반은 그것으로 대충 상황을 파악했다.

　그야 물론 에반과도 얘기를 하고 싶었겠지만 실은 샤인을 보는 것이 주목적이었다는 건가. 그게 아니라면 아나스타샤가 샤인과 만날 시간을 만들어 주려고 했던 것일지도 모른다.

"좋은 아버지시네요."

"네가 데려갔으면 이런 고생 안 해도 됐잖느냐!"

"장담하는데 저 녀석 사위로 삼으면 후회 안 하실 겁니다."

"에이잉…… 쯧."

　그래도 보는 눈은 있는 터라 샤인의 실력이 결코 만만치 않다는 것을 알아차린 소르데 공작은 에반에게 변변찮은 대꾸도 못 하고 그저 한숨만 내쉴 뿐이었다. 평민을 남편으로 삼기 위해 자신의 딸이 걸을 가시밭길이 익히 짐작이 갔기 때문이다.

"제가 도와 드릴 테니까 안심하세요. 샤인 능력이면 걱정 없어요."

"시끄럽다, 이놈아. 내가 어떻게든 딸을 새로 낳아서 네놈하고 결혼시킬 테니 그렇게 알아라."

"프흣…… 기대하고 있을게요."

그날 저녁 만찬회는 예상했던 대로 국왕의 부담스러운 시선을 받아 내며 치러야 했다.

에반은 뇌물을 조금 받았고, 세레이나와의 스킨십을 조금 강요받았으며, 세레이나는 제 아버지—국왕—가 에반에게 억지를 부리려는 낌새가 보일 때마다 한껏 성을 냈다. 물론 그것은 세레이나가 에반에게 품은 감정을 노골적으로 드러내는 증거가 될 뿐이었지만 말이다.

"자, 잠깐."

그리고 그다음 날, 어찌 되었든 근해에 정박된 초대형 유람선 위에서 무사히 해상 파티가 개최되었다.

"그, 그 옷⋯⋯."

"후. 설마 내 품격에 압도당하기라도 한 건가, 에반 디 셰어든 공자?"

"그 옷 어디서 났어! 분명히 불태웠는데!?"

분명 에반이 불태웠을 문어 옷을 입고 나타난 매튜 L. 레오나인 공자를 만나기 전까지는, 에반도 그렇게 생각했다.

"불태워? 이 옷을?"

"말도 안 돼, 이 세상이 게임도 아니고 한 번 팔린 맞춤복이 재입고되다니…… 아니, 심지어 옷의 주름이나 촉수 같은 장식까지 늘어났잖아!?"

"어머, 에반 공자님도 제가 만든 작품의 훌륭함을 알아보시는군요!"

매튜가 입은 문어 옷을 보며 에반이 그저 입가를 부르르 떨고 있자니 어느덧 매튜 옆으로 나타난 파티 드레스 차림의 여성이 눈을 빛냈다.

"오트파 부티크의 대표직을 겸임하고 있는 오트파라고 한답니다!"

어디서 본 얼굴이다 싶었는데 바로 저주받은 문어 옷을 만든 디자이너였다! 그녀가 국왕이 주최하는 파티에 참가할 수 있을 만큼 인정을 받고 있다는 것에도 놀랐지만 에반이 그녀에게 할 수 있는 말은 단 한 가지뿐이었다.

"왜 저걸 다시 만들었어요!?"

"다시? 아, 그러고 보면 공자님께서 몇 년 전 이 옷의 프로토타입을 구매하셨었죠! 그 후 구상에 구상을 거듭하여 비로소 얼마 전 완성된 디자인을 만들어 낼 수 있었답니다. 어때요, 멋지죠?"

"그게 프로토타입이었다고!?"

웃기지 마, 그 옷은 그 자체로 이미 훌륭하게 완성된 재앙이었는데 그걸 더 강화하기까지 했다고!?

에반이 경악하여 뭐라 지적하지 못하고 있자니 매튜가 훗, 하고 웃으며 멋들어지게 폼을 잡았다. 주르륵 늘어지는 팔소매 끝으로 문어 다리 같은 소매 장식이 흔들렸다.

"이 파티의 주인공이 에반 공자라는 것 정도는 나도 알고 있어. 하지만 오늘, 누구나가 시선을 에반 공자가 아닌 이 내게 빼앗기게 될 거야!"

"그야 그렇게 되겠지!"

다만 그 시선의 질은 매튜 본인이 생각하는 것과는 제법 다를 가능성이 있지만 말이다!

에반은 당장이라도 하선해야 하나 진지하게 고민했지만, 그 옆에서 에반의 옷소매를 붙들고 있던 세레이나는 눈을 반짝이며 에반을 돌아보았다.

"그러면 이제 크라켄 만날 수 있는 거야, 오빠?"

"너 정말 기뻐하는구나……."

"세레이나, 어젠 바빠서 마주 보고 대화를 나누지 못했었구나."

에반이 골머리를 싸매고 있는 가운데 세레이나를 발견한

매튜는 한층 밝아진 표정으로 다가왔다.

그 시선이 한순간 드레스에 감싸였음에도 여전히 굉장한 위용을 자랑하는 세레이나의 흉부로 향했지만 에반은 그것을 이해했다. 본능적으로 시선이 향했겠지. 슬픈 남자의 본능이다. 에반도 억누를 수 있게 된 지 얼마 되지 않았다.

"이게 대체 몇 년 만인지 모르겠어. 정말 예쁘게 자랐어. 어엿한 성인 여성이 되었구나."

"오랜만이네, 작은곰 오빠! 옷 안 어울린다!"

"……그, 그러니."

"그래 놓고 나보고 입으라고 그렇게 주장했던 거냐?"

"아야야야야."

평범하게 건넨 인사에 딜이 돌아오자 당황하는 매튜를 놔두고 에반이 세레이나의 뺨을 꼬집었다. 세레이나는 아파하면서도 묘하게 기쁜 듯한 표정을 짓고 있었다.

"이건 아무나 소화할 수 없는 옷이란 말이야! 작은곰 오빠는 안 되지만 에반 오빠는 무조건 어울린다니까?"

"그야 아무나 소화할 수 없겠지. 대신 이 옷을 입은 사람하고 통째로 크라켄이 소화해 주겠지만!"

"쓥…… 에반 공자, 가족끼리 회포를 푸는 자리요. 세레이나가 그대의 기사단에 적을 두고 있는 것은 알고 있지만 지금은 잠시 자리를 빠져 주는 것이 예의라는 걸 모르겠나?"

다시 크라켄 얘기로 넘어가 활기차게 떠드는 둘의 모습에 매튜는 심기가 불편한 표정으로 그런 말을 했다. 크라켄이 뭔 말인지는 모르겠지만 둘만 아는 화제가 나오는 것은 참을 수가 없었던 것이다.

"자리를 빠지라니…… 아."

잠시 그의 말과 행동을 이해하지 못해 고개를 갸웃하던 에반은 이내 깨달았다. 자신이 매튜였더라면 당연히 세레이나에게 접근했으리라는 깨달음이었다.

'실크라인은 사촌 간 결혼이 가능했지.'

더구나 매튜와 세레이나는 같은 왕족이기도 하다. 왕족의 피를 진하게 한다는 명분으로 친족 간에 결혼을 하는 것은 실크라인에서는 아주 보편적인 행위였다.

그로써 매튜는 왕위에 도전할 명분을 얻을 수 있고, 그렇지 않더라도 세력을 공고히 해 공작위를 굳힐 수 있다. 있긴 한데…….

"가족? ……회포?"

에반이 뭐라 말을 하기도 전, 세레이나가 고개를 갸웃하며
말했다.

"작은곰 오빠랑은 별로 얘기해 본 적도 없는 것 같은데……
작은곰 오빠 지렁이 좋아해?"
"……지렁이?"
"으음, 역시 없구나."
"그 판단 기준은 좀 이상하지 않냐."

에반은 세레이나에게 태클을 걸면서도 불쌍하다는 표정으
로 매튜를 응시했다.

존재감은 없었지만 분명 매튜 또한 어제 만찬회에 참석했
을 터다. 그렇다면 국왕이 에반을 어떻게 대하는지도 봤을 테
고, 던전 기사단에 입단한 세레이나에게 국왕이 어떤 기대를
걸고 있는지도 충분히 알고 있을 텐데……

만약 그것도 모른다고 한다면, 매튜는 바보를 넘어 불쌍한
수준이다.

"참, 에반 공자님."

세레이나가 낸 수수께끼에 곤혹스러운 표정을 짓고 있는
매튜 옆에서 오트파가 나섰다. 그녀도 대충 돌아가는 분위기
를 파악하고 매튜가 체면을 더 구기기 전 상황을 스무스하게

마무리하기 위해 입을 연 것이다.

"펠라티 영애와의 약혼 진심으로 축하드립니다. 그렇지만 저는 약혼을 하신다면 왕녀 전하가 먼저일 줄 알았는데! 굳이 시기에 차이를 두신 이유가 있나요?"

"그건 시기에 차이를 뒀다기보다는 저랑 세레이나가 아직……."

"뭐라? 누구랑 누가 약혼?"

"우리 관계는 아직 발전도상이야. 그래도 조만간 좋은 소식 있을 테니까 기대해."

에반의 대답을 매튜가 경악성으로 끊고, 그런 매튜의 말을 무시하고 세레이나가 답했다. 오트파가 호들갑스럽게 환호했다.

"어쩜어쩜! 저 또한 실크라인의 백성으로서 전하를 응원하고 있답니다. 좋은 소식 기대하고 있을게요!"

"응, 나도 열심히 노력할게!"

던전 도시 안에서는 자신을 전폭적으로 지지해 주는 사람이 별로 없었던 탓에 오트파에게 대꾸하는 세레이나의 목소리에도 열기가 실렸다.

"약혼식은 아리샤한테 밀렸지만 그래도 반드시 에반 오빠를…… 까."

　무심코 예전처럼 적극적으로 말하며 에반에게 자신의 몸을
꾹 밀어붙였던 그녀는 뒤늦게 그 사실을 알아차리곤 꺅, 소리
를 내며 에반에게서 떨어지더니 볼을 붉혔다.
　진심으로 부끄러워하며 에반의 시선을 피하는 모습이 무척
귀여웠다.

　"미, 미안해, 오빠."
　"아니, 괜찮은데……."
　"어머어머. 두 분 정말 보기 좋네요."
　"음? 으으으음? 허어어어어어?"

　오트파의 적절한 간섭에 의해 비로소 돌아가는 상황을 알
아차린 매튜가 도저히 이해할 수 없다는 표정을 지었다.

　"아니, 그는 이미 마나로드의 귀족 영애와 약혼을 한 것으
로 아는데 어찌 세레이나를……."
　"그건 우리 매제가 여러 방면에 걸쳐 제 능력을 증명했기 때
문이지. 안 그랬으면 세레이나를 데려가 놓고 몇 년간 방치하다
끝내 다른 영애와 약혼한 시점에서 사형감이야, 사형감."

　그때였다. 혼란에 빠진 매튜의 어깨에 손을 짚으며 나타난

이가 있었다. 매제라는 표현에서부터 짐작할 수 있듯, 그는 이 나라의 1왕자 데미안 L. 실크라인이었다.

"데미안……."
"전하라는 말이 빠졌는데, 매튜?"
"그러면 저는 이만."

데미안은 농담이라도 하듯 가벼운 말투로 말했으나 매튜의 어깨를 파고드는 손의 무게는 그리 가볍지 않았다.

한편 자신이 감당할 자리가 아니라는 사실을 파악한 오트파는 이 시점에서 잽싸게 빠졌다. 치고 빠질 줄은 알면서 문어 옷은 왜 굳이 두 번씩이나 만든 것일까 원망스럽다.

"데미안……."

사촌지간에 섭섭하게 이럴 거냐, 나이는 내가 더 많지 않냐, 넌 고작 후작가 둘째 아들에게 동생을 정부인도 아닌 첩으로 보내도 좋은 거냐, 등등 하고 싶은 말은 많았지만 분위기상 매튜가 할 수 있는 대답은 한 가지뿐이었다.

"……전하."
"훌륭해. 아, 매제도 오랜만이야."

데미안은 그것으로 만족했는지 매튜의 어깨에서 손을 떼어내며 에반에게 시선을 돌렸다.

에반은 그에게서 느껴지는 기세에 만족했다. 이전 세레이나를 통해 보내 준 '꼼수'를 따라 열심히 훌륭하고 있는 모양이었다.

"오랜만입니다, 전하. 매제는 아닙니다만."

"진짜 오랜만이야, 매제. 이전에도 잘생겼지만 이젠 이미 인간이 아니구나. 내 눈이 멀겠어, 눈이."

"안 그래도 어머니와 아버지께 언제나 감사드리고 있습니다."

왕자는 결코 매제라는 호칭을 포기하지 않을 기세였다. 에반이 쓴웃음을 지으며 적당히 맞춰 주는데 그 옆에서 세레이나가 고개를 갸웃하며 끼어들었다.

"침팬지 후작님 쪽 유전자는 마이너스 아냐, 오빠?"

"아니거든. 이 찬란한 보랏빛 눈 안 보이냐?"

"그래그래. 오빠 같은 사례를 두고 기적의 콜라보레이션이라고 하는 거지?"

아버지 같은 상남자 스타일이 얼마나 멋진데. 물론 자신의 얼굴에는 불만이 전혀 없는 에반이었으나 가끔은 아버지나 형이 뿜어내는 거칠고 야성적인 매력이 부럽기도 했다.

"세레이나를 놔두고 펠라티 영애와 먼저 약혼식을 올렸다고 해서 내심 걱정했는데 지금 보니 둘 사이가 나쁜 것 같진 않군, 매제."

"그야 몇 년을 동고동락했으니까요. 그리고 매제가 아니라니까요, 전하."

"결국 매제가 될 건데 뭐 어때. 아, 그런 딱딱한 표현 집어치우고 편하게 형님이라고 불러."

왕자는 본격적으로 호칭 굳히기 작업에 들어갔다. 과연, 국왕이 노골적으로 나서지 않는 대신 아들 쪽이 나서서 가볍게 추근거리는 전략인가! 역시 왕가, 하는 짓이 더럽다!

"매제도 오늘 아버지가 왜 둘만 우선해서 불렀는지 알잖아? 얼른 안심시켜 드리자고. 그리고 바라는 게 있으면 그냥 대놓고 말해. 어지간한 건 다 들어줄 자신이 있으니까."

"우이씨…… 오빠까지 그런 얘기!"

"억!?"

그때였다. 소르데 공작에 이어 데미안 왕자까지 에반에게 치근덕거리자 끝내 폭발한 세레이나가 데미안의 등짝을 퍽퍽 때렸다.

"에반 오빠랑 내 사이가 무르익으면 어련히 알아서 약혼할 거라니깐!"

"아! 아야! 아파!"

그래 봐야 얼마나 아프겠냐며 대충 몇 대 맞아 주려던 데미안은 여태껏 죽어라 단련한 자신의 방어력을 뚫고 들어오는 데미지에 기겁했다.

"너 테이머라며! 손힘이 뭐가 이렇게 세!"

"단련을 열심히 하고 던전에서 꾸준히 레벨 업을 하면 어떤 직업군이라도 근력이 늘어납니다, 전하."

"그래, 안 그래도 이번에 셰어든 던전이 개방되면 나도 셰어든에서 레벨 업을 좀 해야겠다는 생각을 하고 있었는데 이걸로 마음이 완벽하게 굳어졌…… 아파, 동생아, 아프다니까!"

"레이, 사람들 본다!"

에반의 만류에 간신히 데미안에게서 물러난 세레이나가 에반의 옷소매를 꼭 붙잡으며 제 오빠에게 당부했다.

"진짜…… 자꾸 그러면 에반 오빠가 힘들어하잖아! 그러다 오빠가 귀찮다고 날 쫓아내기라도 하면 어떻게 할 거야!"

"아니, 그건 너무 과한 걱정인데. 내가 그 정도로 믿음을 못 줬나?"

"에반 오빠를 못 믿는 게 아니라 다른 사람들이 자꾸 유난을 떠니까 그러지……."

세레이나는 그렇게 말하며 입술을 삐죽이더니 이내 걱정스러운 표정으로 에반의 눈치를 살폈다.

"너……."

그 모습을 본 에반도 비로소 세레이나가 이런 태도를 취하는 이유를 어느 정도 알 것 같았다. 그녀는 단지 자신이 에반에게 미움을 받게 될까 봐 불안했던 것이다.

이제 와서? 싶기도 했지만 그녀의 행동이 묘해진 시기를 역추적해 보면 대충 감이 잡혔다. 직접적으로 언급하기엔 부끄러우니까 모르는 척하겠지만.

"우리 매제가 대죄인이네. 내 동생의 마음을 이리도 완벽하게 훔쳐 갔으니."

"아니 레이가 원래는 이렇지 않았는데…… 제가 앞으로 잘하겠습니다."

"좋아, 그 대답을 들었으니 오늘은 이만 만족하고 물러나주지. 아무래도 폐하와 내가 생각했던 것보다는 희망이 있어 보이는데 그래."

에반과 마찬가지로 대충 눈치를 챈 데미안 역시 쓴웃음을 지으며 고개를 끄덕이고는 슬그머니 뒤로 빠졌다. 눈앞에서 벌어지는 장면에 멍하니 넋을 놓고 있던 매튜를 잡아끄는 것도 잊지 않았다.

"매튜, 너도 눈치 없게 그러고 있지 말고 따라와."
"아니, 그만, 어억……."

그렇게 붉은 악마의 옷을 입은 남자가 에반의 시야에서 사라졌다. 에반은 그의 뒷모습에서 시선을 떼어 내, 여전히 얼굴을 붉히고 있는 세레이나의 모습을 살폈다.

아무래도 데미안에게까지 자신의 속내를 들킨 게 부끄러워 사고가 정지한 모양이었다.

"우리 공주님이 언제부터 이렇게 귀여웠나."
"워, 원래 귀여웠는데……."
"그야 그렇지만."
"훗."

부끄러워하면서도 그 말은 기뻤는지 에반의 옷소매를 꾹 잡는 것으로 감정을 표현하는 세레이나. 이건 벨루아가 유행시킨 나쁜 버릇이었다. 자신에게 유효하다는 것이 실로 곤란한 점이다.

"레이, 이제 와서 널 미워하게 될 일은 없으니까 좀 더 네 맘대로 해도 돼. 넌 그쪽이 어울려."

"사실 나두 오빠가 날 이런 일로 미워할 거라는 생각은 잘 안 하긴 하는데."

"그러면 왜 요즘 서먹서먹한 거야? 서운하게."

"그야…… 비, 비밀."

세레이나는 그렇게 말하며 고개를 팽 돌려 버렸다. 하지만 여전히 에반의 옷소매는 꾹 붙잡고 있었다. 에반은 알 것 같으면서도 모르겠다는 생각에 과연 여심은 어렵다는 사실을 통감했다.

다만 확실한 것은 한 가지.

"그래, 그럼 그 얘긴 나중에 하자."

"응? 아니 여기선 남자답게 밀어붙여야지. 오빠 바보!"

"아니, 네가 그런 반응을 할 줄은 대충 알고 있었으니까. 더구나 지금 그보다 중요한 일이 생겼잖아."

"우리 장래보다 더 중요한 일이야?"

"적어도 지금 당장은."

에반은 품에서 배틀비드를 꺼내어 손에 쥐며 외쳤다. 그 시선은 먼 바다, 불길한 거품이 일렁이는 수평선에 꽂혀 있었다.

"전원 전투 준비! 크라켄 온다! 저기 너머에 벌써 보인다!"

바로 요마대전 속 해상 파티의 배드 엔딩이 현실에도 어김 없이 닥쳐오고 있다는 것이다!

"꺄아아아악!"
"저게 대체 뭐야!?"

사교 토벌과 던전 개방을 기념하는 즐거운 분위기의 해상 파티는 제대로 시작하기도 전에 엉망진창이 되고 말았다. 그런 가운데 에반의 날카로운 목소리만이 선상을 채웠다.

"레이, 바다 위에 발판 만들어! 크고 튼튼하게!"
"옛서! 가랏 루시, 너로 정했다!"
[꾸뀨웃꾸!]

크라켄을 발견한 그 순간부터 잔뜩 신이 나 있던 세레이나 가 활기찬 목소리로 대답하며 아이스 슬라임 엘리트, 루시를 출동시켰다.

[꾸, 뀨우우우웃!]

지난 세월 세레이나와 함께 꾸준히 성장해 온 루시는 모르긴 몰라도 존재 레벨로 이미 어지간한 몬스터를 압도하는 수준.

그런 만큼 몸에 품고 있는 마력도 무시무시했는데, 그것은 녀석이 바다에 내동댕이쳐지는 순간 증명되었다. 녀석의 몸통을 중심으로 반지름 10미터 이상의 원형 빙판이 생겨난 것!

"빙판이 생겨났어!"

"세레이나 전하께서 하신 일이야?"

"아니, 저 슬라임이……!"

선상에서 발만 동동 구르고 있던 사람들이 그 모습을 보곤 일제히 눈을 동그랗게 뜨는 모습이 조금 웃겼다.

하지만 어차피 오늘 파티에 참가한 사람들 대부분이 할 수 있는 일은 관람뿐이다. 괜히 난동을 피우는 것보단 얌전히 지켜보고 있는 편이 낫다. 에반은 우렁찬 목소리로 연달아 지시를 내렸다.

"전투원은 전원 저 빙판 위로 집합! 아, 디오나 너는 메이벨 지키고 있어!"

"알겠습니다!"

비록 지난 2년 반 열심히 수련하기는 했다지만, 아직 던전에 한 번도 들어가 본 적이 없는 디오나는 스테이터스가 현저히 부족하다.

스스로도 그것을 잘 알고 있는 디오나는 에반에게 덤벼드는 메이벨을 붙잡아 진정시키며 품에서 카드를 꺼내 들었다. 전투용 카드였다.

"조금 더 가까운 곳에서 우리 도련님의 활약을 지켜봐야 하는데!"
"여기도 충분히 가까우니까 진정하시라고요!"

자신의 일행에게 지시를 내린 에반이 자신도 서둘러 빙판 위로 오르려는데, 그 전에 에반에게 다가온 이가 있었으니 물론 국왕과 공작이었다. 그 뒤로 잔뜩 흥분한 표정의 왕자와 매튜도 뒤따르고 있었다.

"에반, 이게 대체 무슨 일이냐."
"아, 폐하. 제대로 설명을 드리자면 길긴 한데…… 최대한 간략하게 말씀드리자면, 매튜 공자가 악마의 봉인을 풀었어요."
"잠, 뭣!? 내가 대체 무슨 잘못을 했다는 건가!"

에반의 말에 매튜가 기겁하며 외쳤다. 정말로 억울한 표정이었다. 그야 게임 시나리오를 모르고 있으니 억울하기도 하겠지.
에반도 그의 마음은 충분히 이해했지만, 논리적으로 그를 이해하는 이성과 지금 그의 모습을 보며 얄밉다고 생각하는 감성은 별개였다.

"설명하자면 길다니까? 아무튼 공자도 따라와요. 저놈을 유인하려면 공자가 필요하니까."

"설마 매튜에게 있는 무언가가 저 정체도 알 수 없는 괴물을 이곳으로 이끌고 있다는 건가!?"

"네. 공자가 가는 방향으로 괴물이 따라올 테니 증명도 쉬울걸요. 보여 줄까?"

"아니 잠, 잠까으아아아아아!"

에반은 매튜를 한 손으로 붙들어 가볍게 던졌다. 매튜가 빙판 중앙에 처박히는 그 순간, 저 먼 바다에서 다가오던 거대 괴물의 그림자가 노골적으로 방향을 틀었다. 증명이 간단하게 끝났다.

"정말이지 않은가……."

"아…… 매튜 저놈은 대체."

국왕이 아연해져 입을 벌리는 옆에서 공작이 탄식하며 이마에 손을 짚었다. 당최 일이 어떻게 돌아가는지는 몰라도 사건의 원흉 취급을 받게 되었으니 좋은 일은 아닐 것이다. 이 사실이 퍼지면 공작위에 오르는 데도 지장을 주겠지.

능력이 없기만 한 게 아니라 운까지 없다니, 정녕 다음 대공작은 아나스타샤가 되어야 한단 말인가! 공작은 고개를 절레절레 저었다.

"각하, 그래서 아나스타샤 공녀는요? 조력을 부탁하고 싶은데."

"안 그래도 벌써 샤인인지 뭔지 하는 놈 따라 저 빙판 위로 갔다."

"아, 정말이네."

자연의 힘을 다루는 드루이드는 던전에서도 필드에서도 강하지만 그중에서도 환경의 영향을 많이 받는 필드에서는 거의 독보적인 강함을 자랑한다.

에반은 그녀가 오늘 파티에 참석한 것이 정말 천운이라고 생각했다. ……어쩌면 그녀의 오빠가 불러올 재앙에 밸런스를 맞췄을 뿐인지도 모르겠지만!

"그래서 에반, 놈을 사냥하는 게 가능하겠어? 지금이라도 궁정 마도사들을 불러오는 것이……."

"늦어요. 그리고 능력도 부족해요. 지금 저희끼리 대처 못하면 죽는 겁니다."

국왕은 놈의 사냥이 가능한지 불가능한지를 묻고 있었지만 사실 그것은 무의미한 질문이었다. 이미 크라켄이 나타난 이상 놈에게서 도망치는 것은 불가능한 일이니까!

착각하기 쉽지만 저 망할 문어 옷을 입고 해상 파티에 참석하게 되면 그 순간 배드 엔딩이 확정된다. 크라켄과의 보스전을 치르는 것도 아니고, 도주하는 이벤트가 나오는 것도 아니고, 그냥 배드 엔딩이 바로 닥쳐온다는 얘기다.

'평범한 수단으로는 절대로 상대할 수 없는 강적이라는 뜻이지.'

하다못해 그 이전 시점에 등장하는 사천왕과도 일단 전투를 벌이는 신으로 돌입하는데 크라켄은 그 과정조차 생략된다.

그것이 뜻하는 바는 지극히 간단…… 크라켄이 사천왕보다도 강하다는 것이다. 그것도 훨씬!

"그래도 어떻게든 해 보는 수밖에. 다들 우리가 이기길 얌전히 기도하고 있어요. 아, 유람선에 보호 마법 단단히 걸어 놓으시고요."

"으음, 마왕군 사천왕을 물리친 셰어든 던전 기사단이라면……."

"어스트레이입니다. 이제 어스트레이라고 부르시면 돼요."

만약 이 자리에 에반 일행이 없었다면 어찌 되었을지 상상만 해도 암울했다. 아니, 설마하니 문어 옷이 세상에 다시 나타나는 일은 없을 것이라 믿었던 에반이 안일했던 것이다. 그리 생각하면 그나마 다행이라고 해야 할까.

"후."

에반은 가볍게 호흡한 후 빙판 위로 뛰어내려 착지했다. 매튜는 여전히 기절해 있었고, 나머지 전원은 무기를 뽑아 쥐고 전투를 준비하고 있었다.

그는 라이트닝 슬라임 엘리트인 루디에게 부탁해 매튜를 조금 더 확실히 기절시켜 놓은 후 일행을 향해 돌아서며 말했다.

"아나스타샤 공녀, 빙판을 좀 더 전진시킬 수 있을까요. 전투의 여파로 유람선이 부서질지도 몰라요."

"알겠습니다."

아나스타샤가 즉각 양팔을 벌리며 알아들을 수 없는 말로 주문을 외웠다. 그 순간, 바람과 물의 흐름이 바뀌며 그들이 올라탄 빙판을 전방으로 빠르게 밀어내기 시작했다.

어느덧 크라켄의 거대한 머리통을 얼핏 확인할 수 있을 만큼 놈과의 거리가 가까워졌다.

"그러면 일단 헤븐 스로우 한 방 날릴까."

"그러다 바다 지렁이가 죽으면 어떻게 해!?"

"크라켄을 바다 지렁이라고 부르는 건 너밖에 없을 거다. 안 죽을 테니 걱정 마."

사실 헤븐 스로우 한 방 맞고 죽어 준다면 그 이상으로 좋은 일이 없지만 결코 불가능할 것이다.

바다에서 나타나는 거대 몬스터들은 하나같이 체력이 좋기로 유명한데, 크라켄은 바다의 거대 몬스터 중에서도 원톱을 달리는 괴물이니까. 요마왕보다 Hp가 많다는 소문도 있었다.

"일단 던져 보면 확실히 알 수 있겠지."
"오빠도 즐기고 있는 거 아냐?"
"넌 조용히 해라."

에반은 우선 아나스타샤가 베푸는 보조 마법을 받았다. 그녀는 1년 전 핏빛 사과 길드의 도움을 통해 자신의 룬을 얻었고, 그 룬과 드루이드로서 타고난 능력을 통해 신성 마법과는 다른 방향성의 스테이터스 강화 축복을 베푸는 것이 가능했다.

"헤븐 스로우!"

축복을 받아 능력이 강화되었음을 느낀 에반은 거침없이 배틀비드를 내던졌다.

눈앞에 나타난 아공간에 그것이 빨려 들어간 다음 순간, 먼 바다 상공에 거대한 구멍이 열리며 그 안에서 거대화된 배틀비드가 모습을 드러냈다.

"언제 봐도 말도 안 돼."
"실은 나도 그렇게 생각해."

대기와 마찰해 반짝이는 불의 꼬리를 만들어 내며 낙하하는 배틀비드의 모습은 그야말로 메테오 그 자체! 에반 일행은 잠시 그것을 바라보며 묵념했다.

어마어마한 기운을 품고 추락하는 메테오의 기운을 느낀 것일까, 문어 옷을 향해 헤엄쳐 오던 크라켄이 몸을 움찔했지만 본인의 덩치가 워낙 거대해 도저히 피할 곳이 없었다.

놈이 어떻게든 바닷속으로 깊이 숨어드는 그 순간 해면에 충돌해 성대한 폭발을 일으키는 배틀비드!

─콰아아아아아아앙!

"와아아아!"
"어찌 인간의 힘으로 이런 말도 안 되는…….."
"괜히 외도겠습니까."

메테오가 불러일으킨 충격은 실로 끔찍한 수준이었다. 아득히 먼 바다에서 충돌했음에도 그 끔찍한 충격이 빙판 위로

까지 전해져 올 정도!

에반에게 미리 경고를 받은 국왕이 배에 탑승하고 있던 마법사들 전원을 부려 유람선에 보호 마법을 걸었음에도 배가 충격을 완전히 해소하지 못하고 진동했으니 그 위력을 익히 알 만했다.

"오오오오오…… 내가 했지만 대단하다. CG라고 해도 믿겠다."

"아니…… 지금 멍하니 감탄하고 있을 때가 아닙니다, 도련님. 저거 해일 아닙니까!?"

"아, 그러네."

더욱이 큰 문제는 충돌로 인해 일어난 거대 규모의 해일이었다. 그것도 대마법사가 몇 명이고 모여 작정하고 며칠 동안 영창한 대마법으로도 일으키기 힘들 법한 해일!

크라켄의 다리 몇 줄기인가가 거기에 휘말려 배배 꼬이고 있는 것이 에반의 육안으로도 보였다.

그 모습에 전생에 즐겨 먹던 아이스바가 생각나 무심코 입맛을 다신 에반이 스스로의 머리를 두드렸다. 아까부터 긴장감이 부족하다, 긴장감이!

"와, 정말 오빠 공격을 맞고도 살았잖아. 진짜 다행이다!"

"레이 넌 아까부터 누구 편이냐?"

그때 적절하게 날아든 세레이나의 얼빠진 말이 에반을 현실로 돌려놓았다. 그는 혹시나 하는 생각에 아나스타샤를 돌아보았지만 역시나 그녀는 고개를 절레절레 저을 뿐이었다.

"최대한 가라앉혀 보겠지만 저 정도 규모라면 완화가 최대일 거예요, 공자. 충격을 대비해야겠어요."
"역시 그렇군요. ……그러면 일단 제가 해 보죠."
"예?"

아나스타샤가 어리둥절한 표정을 짓는 것을 무시하고 돌아선 에반이 전방으로 나서며 양 손바닥을 펼쳤다.
그의 눈이 날카로워졌다. 천중력으로 인해 일어난 일이니, 제압도 물론 천중력으로 해야 할 터!

"후우…… 헤븐 프레스!"
"도련님, 그거 매번 외치면서 해야 합니까?"

에반이 전방에 양 손바닥을 밀어붙이며 헤븐 프레스를 발동하자, 보이지 않는 거대한 손바닥과도 같은 천중력의 총체가 일어 일대의 바닷물을 끔찍한 압력으로 밀어냈다.
에반 한 명이 일으킨 천중력이 인간의 시야가 닿지 않는 곳의 바닷물까지 일시에 밀어내고 있었다!
이내 구구구구, 바닷속 깊은 곳에서 울리는 듯한 소리와 함께 그들의 전방으로 거대한 파도가 일어났다. 육지 쪽으로 밀려오는 해일과 비교해도 지지 않을 크기였다.

"우와아······."
"파도 때문에 눈앞이 안 보여."
"아, 될 것 같은데."

파도로 인해 생긴 그림자 덕에 참으로 서늘했다. 어쩌면 그냥 오한일지도 몰랐다.

[구우오오오오오오오오오!]

상황이 이즈음에 이르러 비로소 크라켄이 목소리를 냈다. 그야 어리둥절할 것이다.
마른하늘에 메테오가 떨어지질 않나, 그 충격으로 생겨난 해일에 정신없이 휩쓸리던 와중 이번엔 육지 쪽에서 일어난 파도가 닥쳐오질 않나!

[구아아아아아아아아!]

그리 머지않아 헤븐 스로우로 인해 발생한 해일과 헤븐 프레스로 일어난 파도가 맞부딪쳤다.
물론 그 사이에 끼어 있던 크라켄은 대자연의 충돌로 일어난 데미지를 오롯이 그 몸으로 받아 내야만 했다. 울음소리가 애처롭게 들릴 지경!

바다 위로 과아아아아앙, 둔하고 거대한 진동이 내달렸다. 사정없이 흔들리는 빙판을 드루이드의 힘으로 안정시키며 아나스타샤가 멍하니 중얼거렸다.

"이거…… 정말 우리가 필요했을까?"

"좋은 말이네요, 아샤."

바다 위의 대재앙에 휘말리며 실시간으로 비틀리고 있는 크라켄의 모습을 한눈에 담으며 샤인이 어깨를 으쓱였다.

"우리도 도련님하고 같이 싸울 때마다 매번 하는 생각입니다."

❀ ❀ ❀

거대 파도의 충돌에 휘말려 바다 한가운데에서 트위스트를 추고 있는 100미터 이상 가는 거대 괴물―크라켄―을 보며 에반이 뿌듯하게 웃었다.

"좋아, 이걸로 해일 문제는 어떻게든 됐다."

"저 광경을 어떻게든 됐다는 말 한마디로 정리할 수 있는 도련님도 정말 대단하십니다."

"바다 지렁이 체력도 좀 빠진 것 같으니까 일단 내가 테이밍을 한 번 해 볼게!"

원조 태클 담당답게 샤인이 에반의 비상식적인 말에 냉정히 태클을 거는 와중 그 옆에서 세레이나가 눈을 반짝이며 외쳤다. 에반은 결연한 표정을 짓고 있는 세레이나를 보며 안색을 굳혔다.

"아니 레이…… 아무리 그래도 뭘 견적이 나와야 테이밍을 해 보든 말든 하지. 저 언덕만 한 크기의 몬스터를 정말 테이밍 하겠다고?"

"에반 오빠. 난 100% 할 수 있는 일만 골라 담담히 해치우는 사람보다는, 하고 싶은 일을 반드시 해내고야 마는 사람이 되고 싶어."

"네 명언은 언제나처럼 훌륭한데 저 녀석을 테이밍 하려다 실패하면 위험하니까 그렇지!"

"내 목숨 하나 보호할 방법은 있으니까 걱정하지 마, 오빠. 그러면 루이, 부탁해!"

[규우우웃!]

세레이나가 힘차게 내던진 회색의 메탈릭한 피부를 지닌 슬라임, 문자 그대로 메탈 슬라임 엘리트인 루이가 얇고 긴 타

원형의 보드 비스무리한 무언가로 변해 바다 위로 떨어졌다.

"그러면 어스트레이 기사단 세레이나, 출동하겠습니다!"

세레이나는 그 서핑 보드…… 메탈 슬라임 위에 올라타더니, 에반을 돌아보며 자못 진지한 척 오른 주먹으로 제 심장이 위치한 왼쪽 가슴 위를 퐁, 두드려 경례했다.
그녀의 가슴이 리드미컬하게 출렁이는 모습을 보고 살짝 충격을 받은 에반은 그녀에게만 경례를 금지시킬까 진지하게 고민했지만 역시 놔두기로 했다.

"그럼 출발!"
[끗끗큐우우우우웃!]
"얏호오오오!"
"아……."

경례를 마친 세레이나는 곧장 메탈 슬라임을 발진시켰다.
마력을 분사해 이전 벨루아가 만들어 냈던 제트 엔진 못지않은 속도로 바다 위를 내달리는 메탈 슬라임 보드를 보며 에반이 제 이마를 짚었다.

"맘대로 하는 쪽이 어울린다는 말을 괜히 한 것 같아."
"도련님이 직접 그 말을 하셨으면 끝난 거죠. 앞으로 고생

하실 일만 남았네요."

옆에서 샤인이 한마디 거들었다. 에반은 샤인을 돌아보며 눈을 가늘게 떴다.

"지금은 남 일 같겠지? 너도 같이 가라. 테이밍 실패하면 네가 크라켄을 정면에서 막아."
"아니 지금 제 단검으로는 겉껍질도 못 긁게 생겼는데……예예, 갑니다. 공주님을 보호하라 그 말씀이시죠?"

샤인은 투덜거리면서도 순순히 세레이나의 뒤를 따라 출발했다. 물론 그에게는 발판이 필요 없었다. 그의 그림자가 이리저리 움직여 놀랍게도 그의 발밑에 뭉치더니, 마력으로 실체화해 발판이 되어 준 것이다.
샤인에게 붙어 있는 유령 아가씨의 클래스, 섀도 스토커의 힘이다.

"저 녀석도 이젠 유령 아가씨랑 합이 자연스럽게 맞네."
"……그렇게 보이시나요?"
"네. 한때는 자기 힘만으로 강해지겠다고 **빡빡** 우기던 시기도 있었는데 지금은 순순히 유령 아가씨를 받아들이고 둘의 능력을 조화시키는 방향으로 훈련을…… 아."

뒤에서 날아든 질문에 줄줄이 제 생각을 뱉어 내던 에반은 문득 뒤를 돌아보곤 아차 했다.

제 그림자를 밟아 가며 빠르게 바다 위를 내달리는 샤인의 뒷모습을 바라보는 아나스타샤의 표정이 결코 곱지 않았던 것이다.

"항상 둘이 같이 있는 것도 모자라 전투까지 같이…… 합을 맞춘다는 표현이 기분 나쁘게 들린다면 제가 속 좁은 여자가 되는 것이겠죠?"

"……공녀, 설마 지금 유령한테 질투해요?"

"하지만 실체화할 수 있다면서요? 샤인도 매일 영지에 처박혀 있는 저보단 항상 곁에 있어 주는 그녀 쪽을 더 좋아하는 게 아닐지……."

"아니 설마 그럴 리가."

에반은 유령 아가씨가 실체화할 수 있다는 얘기 자체를 지금 처음 들었다.

하긴 유령 아가씨도 샤인과 함께 던전에서 레벨 업을 했을 뿐더러 능력도 꾸준히 키워 오고 있었으니, 정말로 실체화를 할 수 있어도 이상할 건 없지만…….

"역시 에반 공자도 그렇게 생각하는 거죠? 저보다 유령 아가씨 쪽이 샤인과 더 친밀한 관계라고!"

"어, 그게……."

—오빠, 바다 지렁이가 아직 덜 맞았나 봐! 테이밍이 될 것 같은데 살짝 부족해!

그때였다. 눈물을 글썽이며 망상 섞인 염려를 하는 아나스타샤의 모습에 어찌 대꾸해야 할지 몰라 곤란해하던 에반의 귓가에 세레이나의 통신이 들려온 것이다!

에반은 바로 그 찬스를 붙잡았다.

"어, 지금 간다! 공녀, 저도 전방에서 싸워야 할 것 같으니 나가 보겠습니다. 뒤에서 지속적인 지원 부탁드려요. 다인, 아나스타샤 공녀 확실히 지키고 있어!"

"이 타이밍에 저만 남겨 두고 빠지시다니!?"

에반은 묵묵히 자리를 지키고 있던 다인에게 노골적으로 아나스타샤를 떠맡기며 본인은 바다 위로 발을 내디뎠다. 발판? 의지와 약간의 마나만 있다면 세상 전체가 그의 발판이었다.

"흐아아아아아아!"

"도련님, 이 자식 다리 조심하십쇼!"

맹렬하게 내달려 크라켄에게로 가까워져 가던 중, 이미 크라켄의 다리 하나 위에 올라타 칼질을 하고 있던 샤인이 그에게 큰 소리로 외쳐 경고했다.

아니나 다를까 그 직후 수면에 거대한 그림자가 드리워지는가 싶더니, 에반의 머리 위로 끔찍하게 큰 문어 다리가 떨어져 내렸다!

[구아아아아아아!]
"씁……."

쳐 낼 수 있을 것 같은데. 그래도 피할 수 있으니 일단 피할까…… 잠시 고민했던 에반은 자신의 직감을 믿고 그 자리에 멈추어 서며, 여태 달리던 기세까지 담아 그대로 허공에 어퍼컷을 갈겼다.

"주먹이나 먹어라, 이 바다 괴물아!"
─쾅!

그의 주먹을 휘감고 치솟은 천중력이 굵기 수 미터, 길이 수십 미터에 달하는 거대 문어 다리를 꿍음과 함께 멋지게 튕겨냈다! 퍼덕거리며 튕겨 나는 문어 다리가 물을 흩뿌려 에반을 쫄딱 적셨다.

[구으으으으으으으오옹!]

크라켄이 끔찍한 비명을 지르며 몸을 움츠렸다. 그제야 비로소 놈의 전신이 에반의 시야에 들어왔다.

백 미터? 아니, 그 이상의 덩치였다. 어쩌면 던전 바깥세상의 몬스터 중에선 가장 거대할지도 몰랐다. 이것을 테이밍 하겠다고 용감하게 나선 세레이나가 참 대담하다고 해야 할지, 바보 같다고 해야 할지.

"레이, 너 이거 진짜 테이밍 할 수 있겠어?"
"입질은 왔어! 조금만 더 약해지면 낚을 수 있어!"

속도 중시형 타원에서 안전 중시형 원형 발판으로 모습을 바꾼 루이 위에 올라탄 채 루비와 루디로 스스로를 보호하고 있던 세레이나가 자신 있는 표정으로 외쳤다.

이렇게 되면 어쩔 수 없다. 정말로 세레이나가 크라켄을 테이밍 하든가, 에반과 샤인이 놈을 죽이든가 어느 한쪽으로 결말이 날 때까지 어울려 주는 수밖에.

"좋아, 테이밍 못 하면 감봉일 줄 알아."
"옛서!"
"어, 우리 기사단 급여 있었습니까!?"
"그럼 기사라고 고용해 놓고 밥만 먹여 가며 부리는 줄 알았냐? 싸울 준비나 해."

에반은 바다에 제 몸 절반 이상을 담근 채 꿀렁이고 있는 크라켄의 거체를 올려다보며 재차 침을 꿀꺽 삼키곤 두 주먹을 불끈 쥐었다.

다행한 점이 있다면 처음 생각했던 것처럼 놈이 그렇게 막막하게 느껴지지는 않는다는 것. 요마대전 게임 내에서는 아예 견적을 잡을 수도 없는 절망의 상징이었던 탓에 긴장을 많이 했는데, 이렇게 직접 마주하니 대충 놈의 능력, 체력과 마력까지도 감이 잡혔다.

"일단 사천왕보다는 확실히 세긴 한데."

"사천왕보다 센 시점에서 보통은 절망일 뿐인데 말입니다."

에반의 실없는 말에 샤인이 마찬가지로 실없이 받아치며 단점을 고쳐 줬다.

그들이 사천왕을 상대했던 것도 어느덧 2년하고도 반 이상 전의 얘기다. 그동안 에반도 많이 바뀌었다. 그중에서도 가장 많이 바뀐 것이 있다면…… 그래.

"샤인, 레이한테 유탄 안 튀게 지켜라!"

"도련님이야말로 너무 날뛰다 저놈 죽여 버리지 않게 조심하십쇼!"

에반이 더 이상 자신의 능력을 의심하지 않고 전면에 나설

수 있게 되었다는 것이다.

"흡!"

바닷물을 박차고 가볍게 뛰어오른 에반이 허공을 다시 한 번 걷어차며 크라켄을 향해 쇄도했다.

안 그래도 에반을 주시하고 있던 크라켄이 징그러운 빨판이 다닥다닥 달라붙은 다리를 모조리 바깥으로 뻗어 내 그를 노려 왔지만 그렇게 정직한 공격은 에반 입장에서도 반가울 따름이었다.

하긴 바다의 제왕인 이놈이 굳이 전투 테크닉을 몸에 익힐 필요나 있었을까. 여태까진 그냥 성가신 게 보이면 굵직한 다리로 한 대 후려치면 끝이었을 테니.

"하!"
"헤븐 블레이드는 안 돼, 오빠! 우리 지렁이 다리 잘려!"
"알고 있다니까!"

아직 테이밍도 안 했는데 우리 지렁이라니. 에반은 쓴웃음을 지으며 손날을 주먹으로 고쳐 쥐었다. 허리를 반듯이 펴고, 주먹을 뒤로 당겼다가 그대로 앞으로 내질렀다.

"흐으으압!"

에반이 주먹을 내지른 궤도를 따라 일직선으로 뻗어 나간 끔찍한 압력이 그에게 짓쳐 들던 수십 쌍의 굵고 긴 다리를 모조리 튕겨 내…… 수십 쌍의 다리?

"얘 다리가 엄청 많은데!?"
"역시 바다 지렁이야!"

에반의 눈앞을 가득 채웠던 크라켄의 무수한 다리들이, 그가 뻗어 낸 주먹에서 비롯된 압력을 견디지 못해 구겨지듯 튕겨 나갔다.
그러나 충격은 다리만으로 끝나지 않았다. 일순 놈의 전신을 장악한 천중력이 놈의 무게를 반전시켜, 그 거대한 크라켄의 본체를 순간이나마 바다 위로 크게 띄운 것이다!

[꾸오오오오오오오오!]

다리 길이까지 합치면 장장 수백 미터를 넘기는 거대 괴물이 바다 위로 높이 치솟았다가, 다음 순간 성곽이 무너지는 듯한 굉음과 함께 다시 수면에 처박혔다.
주먹 한 번 휘둘러 백 미터가 넘는 크기의 괴물을 날려 버린 에반을 향해 샤인과 세레이나의 따가운 눈빛이 날아들었다.

"도련님……."

"내가 분명히 죽이지는 말아 달라고 했는데."

"안 죽었어, 아직 마력이…… 엇?"

바로 그때였다. 큰 충격을 받고 몸통이 발라당 뒤집혀 드러난 크라켄의 흉측한 입에서 에반을 노리고 먹물이 분사된 것이다!

마치 레이저라도 되는 양 일직선으로 분사된 그 먹물은 강렬한 마력과 독기를 머금고 있어, 피부에 조금 닿는 것만으로도 끔찍한 피해를 불러일으킬 터였다.

"루비!"

[뀨우우우웃!]

세레이나의 빠른 지시에 맞춰 뛰어오른 루비가 있는 힘껏 불꽃을 토해 냈지만 아무리 루비가 많이 성장했다고는 해도 사천왕보다 강력한 필드 보스의 스킬을 완전히 무효화할 수는 없었다.

다만 그 덕에 레이저처럼 날아들던 먹물의 기세가 다소 죽어, 에반도 그것에 대처할 시간을 벌 수 있었다.

"흡!"

에반은 먹물이 날아드는 쪽으로 한 손을 들어 강하게 주먹

을 쥐었다. 전방에 가해지는 끔찍한 압력! 루비의 화염과 맞
서는 과정에서 기세를 잃은 먹물이 그 압력에 고스란히 붙들
려 멈추었다.

그 상태에서 에반이 주먹에 힘을 주자 허공에 고인 먹물이
한 점으로 모이며 압축되기 시작했다. 실로 신비한 광경이었
다. 샤인은 작업 중인 에반을 공격하려 드는 다리들을 오러가
솟아난 단검으로 솜씨 좋게 걷어 내며 툭, 중얼거렸다.

"이쯤에서 도련님이 쓸데없는 생각을 하실 것 같은데."
"이거 조금 가져가서 연금술 연구에 써야겠다. 크라켄 먹물
을 또 언제 얻어 보겠어."
"내가 그럴 줄 알았지."

에반은 허공에 뭉쳐져 검은 구체가 되어 버린 먹물을 자신
쪽으로 끌어당겨, 인벤토리 포켓에서 꺼낸 특수 플라스크에
담았다. 어느 정도나 특수한가 하면 무려 에반이 평소에 마시
는 독차를 견딜 수 있는 플라스크였다.

"좀 더 때리면 먹물을 추가로 뿜어내지 않을까?"
"그 전에 죽을 거야, 오빠…… 앗, 쟤 도망친다!"

본래 문어는 자신이 감당할 수 없는 천적을 만나게 될 경우
먹물을 뿜고 도망을 친다. 다만 설마 필드 보스인 크라켄이 적

을 앞에 두고 도망을 칠 줄이야!

"붙들어 줘, 오빠!"
"너 진짜 테이밍 못 하기만 해 봐!"
[구오오오옹!]

세레이나가 다급히 외치자 에반은 반사적으로 대꾸하며 허공을 박차, 수면 아래로 잠수하려는 크라켄에게 돌진했다.
크라켄은 수십 개의 다리를 마구 휘둘러 에반을 쳐 내고는 그대로 잠수하려 했으나 그것이 악수였다. 놀랍게도 에반이 손을 뻗어 내 놈의 다리들을 붙든 것이다!

"후우……."

물론 다리가 워낙 굵어 맨손으로는 불가능했지만, 천중과 헤븐 프레스를 응용하면 허공의 먹물을 붙들었던 것처럼 천중력으로 놈의 다리를 붙잡는 것이 가능했다.
그것은 마치 에반의 움직임을 따르는 투명한 거인이 나타나 직접 크라켄을 붙드는 것만 같은 모습이었다.

"흐읍……!"

에반은 추가로 날아드는 다리들을 연달아 천중력으로 붙들었다. 이리저리 날뛰던 다리들이 차례대로 허공에 붙들리는 그 모습은 놀라움을 넘어 그저 경악스러울 뿐이었다.

"크윽, 이 자식 힘 겁나 세네……!"
"누가 누구보고 할 소리를 지금……."

크라켄과 힘으로 정면 대결을 하느라 에반도 죽을힘을 다해야 했다. 그의 장갑에 새겨진 보랏빛의 룬 제라가 보다 찬란한 빛을 뿜어내며 그에게 힘을 보태 주었다. 그러고도 미처 붙들지 못한 것들은 샤인이 바삐 움직여 견제해 주었다.

"야, 빨리 테이밍 해……!"

에반은 젖 먹던 힘까지 다해 크라켄의 다리들을 붙들며 외쳤다. 세레이나는 아연해하면서도 테이머의 권능을 발동했다.

"아직 살짝 부족해, 오빠! 조금만 더, 아주 조금만!"
"이 녀석이 아까부터 진짜 헬스 트레이너 같은 소리 하고 있네……!"
[꾸오오오옹!]

좋아, 까짓 한 번 더! 그는 이를 악물며 두 손으로 허공을 꽉 붙들고는, 마치 그물을 끌어 올리듯 두 손을 힘껏 들어 올렸다.

그에 따라 천중력에 붙들린 크라켄의 다리들이 일제히 딸려 올라가며 크라켄의 거대한 머리통이 다시 물 바깥으로 튀어나왔다.

"으으으으랏차아아아아!"
[꾸우아아아아아아!]

에반은 거기서 멈추지 않았다. 두 손으로 반원을 그리며 천중력으로 크라켄을 붙든 채, 있는 힘껏 어깨 반대편으로 들어 올려 메친 것이다!

크라켄의 몸통이 재차 물 밖으로 솟구쳐, 천중력의 흐름을 따라 반원을 그리며 허공을 크게 가로지르더니…… 반대편 바다에 풍덩, 소리와 함께 떨어졌다.

[구, 아아아아아……!]
"크라켄을 집어 던지다니…… 내가 지금 대체 뭘 보고 있는 거지."

다 죽어 가는 신음 소리를 내는 크라켄을 보며 샤인은 그만 놈을 동정하고 말았다. 나라 한두 개는 너끈히 멸망시킬 수 있을 것 같은 기세를 풍기며 나타난 놈이었는데 이런 꼴이 되다니…….

"테이밍 성공! 오빠 사랑해, 최고!"

바로 그 순간 세레이나가 밝은 목소리로 외쳤다. 어느덧 그녀에게서 이어진 마력의 끈이 확실하게 붙들고 있었다.

에반에 의해 몸도 정신도 탈탈 털려 연약해진 크라켄의 빈틈을 파고든 세레이나가 기어이 필드 보스를 테이밍 하는 기적을 이뤄 내고 만 것이다!

"앞으로 잘 부탁해, 지렁아!"

[구우우우…….]

"루이까지 가 놓고 결국 그거냐!?"

그날, 셰어든 던전 기사단 어스트레이는 왕도에서 전설이 되었다.

매튜는 끝까지 기절한 채 일어나지 못했다.

Chapter 48.

에반 디 셰어든, 백작위에 오르다

"지렁아, 씩씩하게 잘 지내고 있어야 해."

[구오오오오.]

세레이나에게 성공적으로 테이밍 된 후, 그녀의 '테이머 힐링' 스킬로 어떻게든 움직일 기력만은 되찾은 크라켄…… 아니, 지렁이는 만나자마자 그녀와 헤어지는 신세가 되었다.

당연하지만, 크라켄을 어디 다른 곳으로 옮길 수 있을 리가 없었으니까.

"앞으로 사람은 잡아먹으면 안 된다? 그 대신 다른 몬스터는 많이 잡아먹어도 돼. 바닷속에서 반짝이는 보물 같은 거 발견하면 잘 보관해 놨다가 나한테 주고."

[구오옹!]

"잘 지내고 있으면 금방 부를게."

세레이나는 크라켄의 매끄럽고 거대한 머리통을 뽀득뽀득 소리가 나게 쓰다듬어 주곤 에반의 도움을 받아 뒤로 물러섰다. 그때 크라켄이 미약한 목소리로 울었다.

"응? 저거 달라고?"
[구오오!]

크라켄이 달라고 말한 것이 무엇인가 하면, 바로 빙판 한가운데에 여전히 널브러져 있는 매튜였다.

"사람은 먹으면 안 된다니까…… 응? 저 빨간 것만 달라고?"
[구웅!]

대체 어떻게 소통하고 있는지는 알 수 없지만, 크라켄의 울음소리를 듣고 응응 고개를 끄덕인 세레이나가 돌아서며 샤인에게 말했다.

"샤인, 작은곰 오빠 옷 좀 벗겨 줘."
"그…… 전하, 저 사람이 그래도 일단 공작가 대공자입니다만?"
"난 공주야."

그러고 보면 그랬다. 샤인은 그 이상 토를 달지 않고 매튜의 문어 옷을 벗겨 냈다. 한쪽에서 대기하고 있던 다인이 쯧, 혀를 차며 매튜의 몸을 로브로 덮어 주었다. 상냥하다.

"자, 여기."
[구오오오오오오오!]

문어 옷을 본 크라켄은 지극히 흥분하더니 다리를 뻗어 옷을 받아 들었다. 빨판이 부르르 떨리며 옷에 착 달라붙는 광경이 실로 징그러웠다. 혹시 암컷일까? 크라켄은 그대로 옷을 입가로 옮겨 먹어 치우고는 만족스럽게 울며 뒤로 물러섰다.

"결국 저 옷은 대체 뭐였던 걸까요, 도련님……."
"그리 생각하고 싶지 않아. 아니, 그냥 저 녀석하고는 앞으로 연관되고 싶지 않아."

게임 속 배드 엔딩을 떠올린 에반이 해쓱한 얼굴로 대꾸했다.
그러나 에반은 알고 있을까, 테이밍이 되었음에도 크라켄이 여전히 에반을 무서워하며 가능한 한 그에게는 다가오려 하지도 않고 있다는 것을……. 그것만 놓고 보면 둘이 닮은꼴이라고 할 수 있었다.

[구오오오오오오오오오!]

"잘 가, 지렁아아아아!"

세레이나의 선물을 흡족하게 먹어 치운 크라켄이 작별 인사로 크게 한 번 울고는 다시 바닷속으로 떠나갔다.

세레이나는 녀석의 모습이 보이지 않게 될 때까지 힘껏 팔을 흔들어 전송했다. 누가 보면 감동적인 이별 장면이라고 생각할 것이다.

"그럼 우리도 이만 위로 올라가자."

"다들 대피는커녕 이쪽만 보고 있네요…… 아, 다들 흠뻑 젖었어요. 조금이라도 말려 드릴게요. 바람이여!"

전투를 완전히 마친 일행은 순조로이 유람선 갑판 위로 복귀했다. 그 전에 에반을 비롯한 이들의 몸을 적신 물기를 드루이드인 아나스타샤가 바람의 힘을 빌려 말려 주었다.

"마법과는 달라서 완전히 말리는 건 힘들어요. 죄송합니다."

"이 정도면 충분해요, 고맙습니다. 웃차!"

가장 먼저 갑판 위로 올라선 에반이 앞머리를 쓸어 모아 물기를 짜내며 씩 웃었다. 지극히 자연스러우면서도 색기가 뚝뚝 흘러넘치는 모습에 곳곳에서 탄성이 흘러나왔다.

바다 너머에서 그가 벌인 영웅적인 활약에 안 그래도 모두가 그를 주목하고 있었는데, 그의 이런 모습은 그 관심에 불을 붙이는 꼴이었다.

"뭐야, 왜 보고 있어요. 전투 끝났습니다. 이제 위험할 일 없으니까 파티 재개하셔도 돼요."

"도련님, 자제하십쇼. 인큐버스도 아니고 진짜."

"응?"

뒤이어 아나스타샤를 안아 들고 가벼운 몸놀림으로 갑판에 내려선 샤인이 그런 에반에게 핀잔을 주었다. 그러나 에반은 전혀 눈치채지도 못한 듯했다.

하긴 가능한 한 여자를 피하려고 노력하는 에반이니 의도적으로 한 일은 아니겠지. 다만 불화를 불러오는 저주 탓인지, 그가 평소 취하는 사소한 행동 하나하나가 사람들의 시선을 끌고는 했다. 지금도 마찬가지로…… 아니, 역시 그냥 타고난 것일지도 모른다.

"도련니이이이이이이임!"

그때 샤인과의 대화 끝에 고개를 갸웃하고 있던 에반을 덮쳐 온 이가 있었으니 물론 메이벨이었다. 파티 드레스 차림의 그녀가 에반의 몸 이곳저곳을 더듬으며 걱정스러운 목소리를 냈다.

"그런 터무니없는 괴물과 싸우셨는데 어디 다친 곳은 없으세요!? 여기, 아니면 여기……!"

"메이벨, 숨이 거칠어. 무서워. 좀 떨어져."

아무래도 이전 샤인이 했던 말이 맞는 모양이다. 처음엔 순수하게 그를 걱정해 다가온 것 같았지만 점점 거동이 수상해지고 있었다. 실시간으로 숨결이 거칠어지고 있는 것은 덤이었다.

"조금만 더 제가 확인을……!"

"디오나!"

"네네. 그만 진정하세요, 솔레이유 남작님."

에반은 가까스로 메이벨을 떼어 내 호위역인 디오나에게 맡기고는 국왕에게 다가갔다. 그들은 실로 복잡한 표정으로 에반을 바라보고 있었다.

심지어 호위 기사들이 반사적으로 그를 막아서려다가는 주춤하며 물러서고 있었다.

"전투도 무사히 끝났는데 왜 그러십니까?"

"에반, 너를 대체 어떻게 대해야 할지 모르겠어서 그런다."

국왕 대신 공작이 툭 내뱉었다. 에반의 그것처럼 보랏빛으로 빛나고 있는, 많은 세월이 지나 보다 깊어졌지만 조금은 흐려진 그 눈을 들어 에반을 빤히 바라보고 있었다.

"우리는 어쩌면 이게 네가 작정하고 벌인 무력시위가 아닐까 생각했다. 솔직히 말해 봐라, 어떠냐?"

"제가 뭐 하러 무력시위를……? 두 분 혹시 제가 싫어할 만한 일이라도 하려고 하셨습니까?"

"그건…… 이번에 너를 왕도로 불러들인 일에 불만을 품은 것이 아닐까 싶었다."

공작에 이어 국왕이 말했다. 에반은 국왕의 면전임에도 불구하고 자신의 표정이 무너지는 것을 감출 수가 없었다. 어처구니가 없는 일이었다.

"설령 불만이 있어도 그렇지 제가 미쳤다고 국가 요인들이 모인 자리에 크라켄을 유인하겠습니까? 애초에 크라켄이 나타난 건 매튜 공자가 저 빌어먹을 옷을 입고 파티에 참가했기 때문입니다."

"아니라고 말해 주니 정말 다행이구나. 너를 의심하고 싶지는 않았지만 상황이 너무나 공교로웠단다."

"에반, 이 녀석아."

쓴웃음을 지으며 말하는 국왕 옆에서 공작이 한숨을 쉬며 말을 덧붙였다.

"3년 전 있었던 마족군 공습에서 네가 큰 역할을 해냈다는 것은 알고 있다. 네 능력을 이전에 익히 본 적도 있지. 하지만 오늘 보여 준 것은 규격이 달라. 너도 알겠지만, 이해를 벗어난 힘은 공포를 가져오게 마련이다."

실제로 선상에 있던 젊은이들은 에반의 활약을 보며 그저 감탄하고 박수를 칠 뿐이었지만 귀족들 중에는 놀라움과 감탄이 아닌, 묘한 감정이 담긴 눈으로 그를 바라보고 있는 이들도 많았다.

그로써 에반도 돌아가는 상황을 대충 이해하고는 어깨를 으쓱였다. 멍청한 일이다. 본격적으로 마족들과의 전쟁이 시작되면 같은 인간을 견제하고 있을 여유도 사라질 텐데 말이다.

다만 인간들이 매번 현명한 판단을 할 정도로 똑똑하지 않다는 건 요마대전 시리즈의 게임 시나리오만 봐도 뻔한 일이었다.

"제가 어떻게 하면 좋겠습니까?"

"이미 말했지만, 지금 넌 국왕도 감히 뭔가를 요구할 수 없는 힘을 가지고 있다."

"협박하거나 따지려는 게 아닙니다. 그저 폐하의 생각을 듣고 싶을 뿐입니다."

내심 기다리고 있던 말이었겠지. 에반의 말에 국왕은 반사적으로 슬라임들과 함께 갑판에 착지하고 있는 세레이나를 바라보았다. 차마 바라는 바를 입에 내지 못하는 국왕을 대신해 공작이 말했다.

"피로 이어진 인연보다 더 믿음직스러운 것은 없다, 에반."
"후우, 억지를 부리지는 않으마. 하지만…… 이미 데미안에게도 들었겠지? 우리는 네게 할 수 있는 한 최선을 다할 생각이다. 그리고 그건 네 상상 이상일 것이야."

뭐, 역시 그렇게 되겠지. 에반은 쓴웃음을 지으며 대꾸했다.

"저도 억지를 부릴 생각은 없습니다. 세레이나 전하께서 제 기사단에 머무른 지도 벌써 5년이 넘었으니까요. 이제 와서 그녀를 궁으로 돌려보내는 것도 우스운 일이고요."
"그렇다면……?"
"예. 원하시는 대로 하겠습니다. 애초에 각오하고 있던 일입니다."

그도 그럴 것이 한 나라의 공주가 다른 영지에, 그것도 귀족 가문의 자제가 직접 관리하는 단체에 속해 그곳에 5년이나 머무르고 있었던 것이다.

분명 에반과 세레이나 사이에 아무런 일도 없었음에도 불구하고 그들을 바라보는 이들은 온갖 엄한 상상을 하고 있을 것이다. 무척 불쾌한 추측이지만 어쩔 수 없는 일이기도 했다.

"다만 시기는 조금 조절했으면 좋겠네요. 이제 막 약혼했는데 바로 새로운 약혼녀를 맞이하는 건 조금."

"고맙다…… 정말로 고맙구나, 에반. 아니, 이건 우리 레이에게 고마워해야 하는 일일까."

"애초에 그렇게 할 작정으로 보내셨잖습니까?"

"솔직히 말하마. 그땐 그 정도로 너를 얻을 수 있을 줄 알았단다."

"……그것참 솔직하셔서 좋네요."

에반은 말을 이으려다 말고 잠시 침묵했다.

왕도로 올라오기 전까지 스스로 생각했던 것과는 자신의 취급이 너무 달라 내심 놀라기도 했을뿐더러, 그때 마침 세레이나가 눈을 빛내며 다가오고 있었기 때문이기도 했다.

"다들 무슨 얘기 해? 우리 지렁이 얘기 해?"

"……그러면 저녁에 혼자 궁으로 찾아뵙겠습니다. 자세한 얘기는 그때 하시죠. 괜찮으실까요?"

"얼마든지."

국왕이 흔쾌히 고개를 끄덕였다. 큰 근심을 해결한 덕인지 얼굴이 아주 환했다. 그 옆에선 공작이 역시 지금부터라도 새로 딸을 낳아야겠다며 인상을 구기고 있었지만 못 들은 것으로 하기로 했다.

"뭐야, 아빠 혹시 우리 에반 오빠한테 또 이상한 일 시키려고 했어? 그럼 아주 혼내 줄 거야! 우리 지렁이 불러다가!"
"그런 거 아니니까 진정해, 레이. 그냥 이번에 크라켄에 맞서 활약한 데에 대한 포상 얘기를 하고 있었으니까."
"오오오오오! 그러면 오빠도 막 작위 같은 거 받고 그러는 거야?"

대충 둘러대려 한 말에 세레이나가 두 눈을 빛내며 반응했다. 에반이 피식 웃으며 그 말을 부정하려 했으나 국왕이 태연히 고개를 끄덕였다.

"아주 잘 말했구나, 레이. 본래 던전 기사단을 이끄는 기사단장은 국가 차원에서도 요인 대접을 받아야 하는 법이다. 더욱이 이번에 나를 비롯한 귀족들을 훌륭히 지켜 냈으니 그에 마땅한 포상을 해야 하고말고."
"엥."
"거기에…… 3년 전에는 셰어든이 피해 복구로 워낙 바빠 제대로 된 논공행상을 치르지 못했었지. 그것도 이번 기회에 정산을 해야겠구나. 셰어든에서 그 마족들을 막아 내지 못했으면 피해가 전국으로 확산되었을 테니 말이다."

"엥?"

상상했던 것과 다른 방향으로 돌진하는 사태에 에반은 그저 엥, 하고 바보 같은 목소리를 낼 뿐이었다. 하지만 기회를 붙잡은 국왕은 순식간에 착착 일을 진행시키고 있었다.

"파티가 끝나면 할 일이 많겠어. 우리나라에 새로운 고위 귀족 한 명이 탄생하게 되었으니."

"신난다!"

"에에엥?"

에반이 세레이나와의 약혼을 늦춘 것은 그저 아리샤를 배려하기 위해서였지만, 아무래도 국왕은 그의 뜻을 살짝 오해한 모양이었다. 수틀리면 언제 약속을 파기할지 모르니 최대한 알아서 잘하라는 뜻으로…….

그 결과 에반은 당초 계획했던 것보다 며칠 더 늦게 귀향하게 되었다. 자신을 위해 성대하게 열린 작위 수여식에 참여해야 했기 때문이었다.

"결정했어요, 저는 셰어든에 새로운 부티크를 열겠어요! 에반 공자님, 아니 백작 각하께서 제가 만든 옷을 입고 거대 괴물과 맞서 싸우시는 모습을 보며 결심했답니다!"

"부디 마음대로 해 주세요. 아, 하지만 문어 옷은 두 번 다시 만들지 마요."

왕도 제일의 디자이너 오트파와 함께 셰어든에 새로이 생길 사업 '형제 부티크'에 대한 논의를 하며 에반은 고향에 가는 마차에 올랐다.

에반 디 셰어든 백작의 금의환향이었다.

허공에서 무수한 샴페인 잔이 부딪쳐 경쾌한 소리를 냈다.

"에반 디 셰어든 백작의 앞날을 위하여!"

"위하여!"

"역시 도련님이셔, 기사단을 발족하자마자 왕도에서 거대 괴물을 해치우시다니!"

"그뿐인가, 역대 던전 기사단장 중 최연소 백작 등극이지!"

에반이 셰어든에 복귀한 후, 당연하지만 또다시 성대한 파티가 열렸다. 자신의 생일 파티에 이어 왕도에서의 해상 파티, 즉위식, 거기에 이어 다시 셰어든에서까지 파티를 하다니!

슬슬 파티에 물린 에반은 이번만은 좀 적당히 하고 넘어가고 싶었으나 가만히 있을 메이벨이 아니었다. 에반이 백작위에 오른다는 사실을 알게 된 즉시 던전 도시와 통신하여 파티 준비를 시작했고, 결국 그가 복귀하자마자 파티가 시작된 것이다.

"성인이 되시자마자 백작위를 얻어 오실 줄이야. 이러다 은퇴하기 전에 공작위에 오르시는 거 아닌가?"

"하하, 듣기는 좋은 농담일세."

"하지만 세레이나 전하와도 혼인을 치르실 것 아닌가? 그러면 왕실의 인척이 되는 셈인데, 까짓 공작위 도전해 볼 만하지 않나!"

"예끼 이 사람아, 에반 도련님은 던전 도시를 수호하겠노라 천명하셨는데 공작이 말이 되는가!"

에반이 백작위에 올라 가문이 한층 융성하게 되었으니 가신들의 입가에도 웃음꽃이 피어났다. 평소 점잖은 말들을 늘어놓던 이들도 잔뜩 취기가 올라 편하게 떠들고 있었다.

마족 대공습 당시 가문을 배신한 자들이 모조리 참수당한 이래 셰어든 일가가 모이면 으레 한 줄기 어둠이 눌러앉아 가시질 않았는데, 오늘은 그 어둠이 보이질 않았다. 에반의 백작 등극이란 그 정도로 놀랍고 기쁜 일이었다.

"이제 에릭 도련님만 좋은 혼처를 찾으시면……."

"쉿! 조용히 하게!"

그래, 저런 말이 나올 줄 알았다. 한국이든 실크라인이든 한자리에 어른들이 모였는데 취직이랑 결혼 얘기 아니면 무슨 얘기를 하겠는가?

에반이 기사단장직에 이어 백작까지 단숨에 오르며 사회 신출내기 취직의 극점을 찍어 버렸으니 이제 남은 것은 에릭의 결혼 얘기뿐인 것이다.

다만 에릭이 무슨 일을 겪었는지 모를 리가 없는데 함부로 그것을 입에 담는 것은 그리 신중치 못한 일이었다.

"저 영감탱이들이 진짜……."

"자자, 건배하자, 에반. 아니, 백작 각하라고 해야 하나?"

"형……."

그리고 하필이면 바로 그 타이밍에 에릭이 에반에게로 다가왔다. 에반이 표정 관리를 하느라 애쓰고 있자니 에릭이 피식 웃으며 그의 뺨을 찔렀다.

"신경 쓸 것 없어, 에반. 언젠가 또 좋은 인연을 만날 수 있겠지."

"……응."

에반은 형의 말에 고개를 끄덕이면서도 내심 불안한 마음을 감출 수 없었다. 그날 이후로 에릭은 밀리아를, 그날의 일을 잊으려는 듯 다른 일…… 이를테면 내정과 개인 단련에만 몰두하고 있었으니까.

그 덕에 후작가의 미래는 한층 탄탄해졌고 에릭 본인의 능력도 출중해졌지만, 좋은 인연이고 자시고 만날 기회가 없으니 뭘 어떻게 한단 말인가.

"걱정하지 말래도 이 녀석이."

"하지만……."

"어이쿠, 눈물이 글썽이네. 백작 체통을 치켜야지, 에반. 몸만 컸지 아직 어린 애구나."

어린애가 맞다. 현대 한국 기준으로는 에반이나 에릭이나 아직 학생 신분에 머무르고 있을 새파랗게 어린 나이다.

오히려 에반은 전생의 기억이 있는 만큼 에릭보다도 정신적으로는 성인이어야 할 텐데…… 깊은 상처를 끌어안고 있는 형을 좀 더 어른스레 보듬어 주지 못하는 자신이 에반은 원망스럽기만 했다.

"건배하자, 에반."

에릭이 다시 말했다. 티 없이 맑은 눈으로 에반을 바라보며.

"너와 내 앞날을 위해서."

"……응."

에반은 에릭과 건배하고는 그대로 샴페인을 들이켰다. 그 과정에서 잔이 파열하는 사고가 있었지만 뒤에서 대기하고 있던 벨루아가 그것을 예측하기라도 한 듯 손을 쓴 덕에 별 탈 없이 파편을 깔끔하게 수거할 수 있었다.

"고마워, 루아."
"이게 제 일이니까요."
"……요마왕을 없애면 그 저주는 해결이 되는 거니?"

그 광경을 지켜보고 있던 에릭의 눈이 가늘어졌다. 에반에게 소소하지만 다양한, 자칫 큰 위기로까지 이어질 수 있는 사건을 연달아 불러일으키는 저주. 그것의 존재는 친형인 에릭 또한 알고 있었다.

"모르겠어, 하지만 아마도."
"그래. ……앞으로도 바쁘겠구나."

에반은 어깨를 으쓱이며 대수롭지 않게 답했지만 에릭은 진지한 표정으로 고개를 끄덕일 따름이었다.
에반은 그 문제는 신경 쓰지 말라고 했으나, 아무리 봐도 신경 쓰지 않는 표정이 아니었다. 그런데 게임에서처럼 목숨에 연관되는 저주도 아니니 그렇게 마음 쓸 필요 없다고 에반이 다시 말하려던 때 난입해 오는 이가 있었다.

"오빠아아, 나랑도 건배하자!"
"어이쿠, 우리 공주님 오셨구나. 큰오빠 이만 물러나마."

던전 도시 셰어든에는 '우리 공주님'이 두 명 있다. 정말로 나라의 공주님인 세레이나와 후작가만의 공주님인 엘리자베스.
지금 에반에게 다가온 이는 후자였다. 에반은 에릭을 눈인사로 떠나보낸 후 엘리자베스를 가볍게 안아 주었다.

"그래, 작은오빠랑 건배하자 리즈. 그래도 일단 잔은 바꿀까?"
"힝."

샴페인 대신 주스가 담긴 잔을 받아 든 엘리자베스가 에반의 손에 들린 샴페인을 보며 간절한 표정을 지었지만 에반은 굴하지 않았다. 아무리 귀여운 동생이어도 술은 앞으로 족히 11년은 금지다.

"역시 맛있네."
"오빠 너무해. 나 슬라임 잡을래."
"그래그래."

에반은 엘리자베스가 바라는 대로 순순히 그녀가 슬라임을 잼잼하게 도와주며 두 번째 잔을 입가로 옮겼다. 그러는 와중 문득 떠오르는 것이 있었다.

"맞아, 그러고 보면 내가 크면 양조업을 시작하려고 했었지."
"……설마 그게 진심이셨습니까?"

뒤에서 가만히 그를 수행하고 있던 벨루아가 그만 감정을 숨기지 못하고 기가 막힌다는 목소리를 냈다. 그녀와 나란히 서 있던 디오나가 고개를 갸웃했다.

"공자님은 술에도 일가견이 있으신가요?"
"아니, 사람들이 하도 술 못 마시게 하니까 한이 맺혀서."
"하지만 그건 그럴 수밖에 없잖아요."
"뭐야, 나도 여태 그 이유를 몰랐는데 왜 3년 전에 들어온 디오나가 아는 거야?"
"그야……."

디오나는 취기가 적당히 돌아 매력이 뚝뚝 묻어 나오는 에반의 얼굴을 마주 보며 제 심정을 솔직히 말하려다 말고 볼을 붉히며 입을 다물었다.

여태껏 에반에게 같은 질문을 받은 이들 모두가 지었던 바로 그 표정을 지으며, 그녀는 끝내 이렇게만 말했다.

"그…… 복잡한 심경입니다만, 가능하면 술은 혼자 있을 때만 드시는 게 좋을 것 같아요."

"당최 이해할 수가 없네."

"너무 그러지 마시고, 저라면 얼마든지 어울려 드릴 테니까……."

"디오나."

"히익!"

벨루아의 조용한 부름에 디오나가 말을 잇다 말고 기겁하며 움츠러들었다. 대충 디오나가 방금 자신을 유혹하려 했다는 것까지는 파악할 수 있었던 에반은 쓴웃음을 지으며 그녀에게 말했다.

"그 자리에 다른 멤버들까지 포함시키는 거라면 흔쾌히 마실게, 디오나."

"칫, 벨루아 님만 없었어도 방금 분명히 통했는데…… 그만좀 노려봐요, 이번엔 얌전히 포기할 테니까."

"당신도 참 끈질기군요."

디오나가 툴툴거리며 물러서는 모습에 벨루아가 한숨을 쉬었다. 에반은 둘의 모습에 피식 웃곤, 단호한 투로 선언했다.

"하지만 양조업은 정말 할 거야. 메이벨!"

"부르셨나요, 도련님?"

새로운 사업에 대한 이야기를 하자마자 그들의 눈앞에 나타나는 메이벨! 에반과의 간격이 너무 짧다는 것을 깨닫고 곧 조금 뒤로 물러난 메이벨이 에헴, 헛기침을 하며 보고했다.

"형제 부티크는 차질 없이 준비 중입니다. 마법의 옷감을 다룰 수 있는 디자이너는 귀하니까요. 이걸 기회로 삼아 단순한 패션 용품 이외에도 천 옷을 장비로 삼는 탐험가들을 대상으로 하는 마법 의상을 생산하는 시스템을 갖추려고 해요."

"바람직한 방향이네. 천과 금속이 함께 사용되는 장비도 있으니까 오르타와의 협업도 추진해 보자."

"네, 기회를 잡아 소개시켜 둘게요. 그 외에 명하실 일은 없나요?"

"있어. 우리 술 만들자."

"……그건."

그의 말을 들은 메이벨이 곤란한 표정을 지으며 벨루아와 디오나를 바라보았으나 둘은 똑같은 표정으로 고개만 휘휘 저었다. 말려도 듣지 않는다는 뜻이다.

"후, 알겠습니다. 그래도 가능하면 도수가 낮은 걸로 하죠."

"도수가 뭔 상관이야?"

"시음이다 뭐다 도련님이 술을 마실 기회가 많을 테니까요. 도수가 낮아야 해요."

"음, 으으음……?"

메이벨도 뭔가 알고 있는 것 같은데 대체 뭘까. 하지만 에반이 그녀에게 물어보려던 찰나 메이벨이 진지한 표정으로 그를 말렸다.

"정말로 제가 폭주하는 모습이 보고 싶지 않으시거든 제 말을 들어주세요. 이 사업 저랑 도련님이 같이한다는 사실 명심하시고요. 저는 매번 술을 드시는 도련님을 옆에서 봐야 하는 입장이라고요!"

"대체 내가 술을 마시는 게 사람들한테 무슨 영향을 끼치길래 그러는 건데!?"

"그건 있지, 오빠가 술을 마시면 너무 섹, 으브븝!"

그러나 메이벨과 벨루아와 디오나는 약속이라도 한 것처럼 일제히 고개를 저을 뿐이었다. 분위기를 읽지 않는 맹랑한 일곱 살 엘리자베스만이 아무런 망설임 없이 입을 열었으나 메이벨에게 제지당했다.

"쓥…… 하지만 도수가 낮은 술이라고 해 봤자."

사람들이 대중적으로 마시는 술 중에서 도수가 낮은 술이라고 하면 대표적으로 맥주가 있다.

　발효 방식에 따라 상면발효 맥주인 에일, 하면발효 맥주인 라거로 나뉘는데 이 중에서도 에일은 높은 온도에서 발효가 이루어지는 탓에 오랜 옛날부터 만들기가 쉬웠고, 라거는 낮은 온도에서 관리를 해 주어야 하는 탓에 시스템이 발달한 현대에 이르러서야 활발하게 제작되고 있다……는 것은 어디까지나 지구의 이야기일 뿐이다.

　'적절한 냉기를 유지하는 시설을 만드는 건 최하급 마법사만 있어도 되는 일이니까. 얼음 마법이나 바람 마법이 있으면 터무니없이 쉽고, 대지 마법을 다루는 사람이어도 얼마든지 해낼 수 있는 일이지.'

　따라서 이 세상에서는 에일도 라거도 구하고자 하면 얼마든지 구할 수 있다. 단지 실크라인 사람들은 전통적으로 에일을 선호하는 경향이 있어 라거를 마시지 않을 뿐이다.

　그러니 이제 와 에반이 에일이나 라거를 만들겠다고 나서는 것도 웃긴 일이었다. 뭣보다 이 영지는 농사를 짓는 영지가 아니라서 보리가 생산되지 않는다.

　"다양한 종류의 와인이랑 일부 리큐르를 생산해 볼까 하는데."

　"와인에 리큐르? 의외로 막연한 말씀을 하시네요?"

보통 와인이라 하면 포도주라고 생각하기 쉽지만, 사실 와인Wine이라는 단어에는 과실주, 발효주라는 뜻도 포함된다. 즉 에반이 만들고자 하는 것은 다양한 과일을 사용한 과일주라고 볼 수 있었다.

　거기에 리큐르란 이미 완성된 주정에 당과 첨가물을 넣어 맛과 향을 더한 술을 말함이다. 이것 또한 어떤 첨가물을 쓰느냐에 따라 결과물이 다양하게 나올 수 있었다.

　"어느 한 가지 특정할 수가 없어서."

　"따로 생각하고 계신 바가 있나 보네요?"

　"응. 던전에서 나올 과일과 약초를 활용하려고 해. 재료의 매입도 탐험가들을 통해서 하고, 완성된 술의 판매도 탐험가들에게 이루어질 테니 완벽한 순환 구조를 만들 수 있겠지."

　"……."

　메이벨이 말을 잃었다. 그도 그럴 것이 폐쇄되기 이전의 셰어든 던전에서는 대량으로 술을 만들 수 있을 만큼 과일이 나오지 않았으니까. 물론 자연환경이 갖춰져 있는 곳도 많았지만, 대부분은 돌로 이루어진 통로였다.

　"그 말씀은, 도련님……."

　"오랜만에 예지했다는 거네? 다시 개방될 던전의 환경은 크게 달라지리라는 예지를."

마침 좋은 타이밍에 아리샤가 난입했다.

"그런 에반에게 낭보야. 바로 방금, 던전이 열렸대."

누가 바람을 다루는 마검사 아니랄까 봐, 곧 이 셰어든 전체를 휩쓸 변화의 바람과 함께.

❈ ❈ ❈

셰어든이 통째로 뒤집어졌다. 혼란이라는 얌전한 말은 어울리지 않았다. 무수한 사람들의 저마다 다른 감정이 한데 뭉쳐 폭주하고 있었다. 그것은 흡사 던전의 존재가 처음으로 알려진 때와 같았다.

던전 개방은 모두가 기다려 왔던 순간이지만 그렇기에 더욱 두려운 것이기도 했다. 전 재산을 투자해 장외주식을 구입해, 기업이 상장될 순간을 기다리는 것만 같은 기분이라고 해야 할까.

까면 어떤 식으로든 결판이 난다. 차라리 영영 그 순간이 오지 않았으면 하는 이도 있을 터였다.

"당분간은 이대로겠어. 개판이 따로 없네."

에반은 집무실에 앉아 창밖을 바라보았다. 쉬이 진화할 수 없는 광기의 불꽃이 도시 전체를 감싸고 활활 타오르고 있었다. 연료는 탐험가들의 열정과 욕망이었다.

그 불꽃이 뜨거워 눈이라도 델까 창에서 시선을 떼어 내는데, 에반의 뒤에 가만히 서 있던 벨루아가 조용히 말을 꺼냈다.

"도련님께서 나서신다면 얼마든지 쉽게 진화할 수 있을 터입니다."

"응, 뭐 그야 그렇겠지."

에반은 벨루아의 말을 부정하지 않았다. 그의 능력이라면 꼬리에 불붙은 황소처럼 던전으로 돌진해 들어가는 탐험가들을 강제로 멈출 수 있겠지.

그뿐인가. 던전 기사단 어스트레이의 이름으로 먼저 나서 뒤바뀐 던전의 위험을 걷어 내고 구분하며, 모든 이가 비교적 안전하고 수월하게 탐험하며 성장할 수 있도록 해 주는 새로운 던전의 가이드라인을 작성할 수도 있을 터이다.

하지만 그것은 탐험가의 성장이 아닌 사육이나 마찬가지였다. 에반은 던전 기사단장을 하려는 것이지 불특정 다수 탐험가의 보모 역할을 하려는 것이 아니었다.

"뭣보다 그렇게 되면 저들이 던전을 얕보게 되잖아. 그건 무척 위험한 일이야. ······앞으로 던전 도시에 확실하게 다가올 재앙을 생각하면 더더욱 말이지."

그렇기에 일부러 제지하지 않았다. 사전에 던전 개방에 대한 정보를 퍼트려 어중이떠중이들을 마구 불러들였다. 그들 중 많은 수가 다시는 돌아오지 못하게 될 줄 알면서도 그렇게 한 것이다.

인류가 새로 거듭난 던전의 위험성을 뼈저리도록 깨닫게 하기 위해. 축제 분위기로 달아오른 그들에게 냉엄한 현실을 가르쳐 주기 위해. 그로써 던전 기사단이 제시하게 될 새로운 질서를 보다 빨리 확립하기 위해.

"비정하시군요."

"혹시 싫어졌어?"

태연한 척했지만 벨루아에게 그렇게 묻는 에반은 내심 긴장하고 있었다.

그는 그녀가 자신을 좋아한다고 확신했지만 동시에 사람의 마음이란 쉽게 변하고 만다는 것도 알고 있었다. 벨루아에게 미움을 받는 것은 에반에게 있어서 가장 무서운 일이었다.

"제가, 도련님을……?"

에반의 물음에 벨루아는 고개를 갸웃했다.

올해로 열여섯, 나이를 먹을수록 깊고 붉은 루비처럼 보다 찬란한 빛을 발하는 그녀의 두 눈이 정답을 찾듯 잠시 허공을 헤맸다. 그녀는 진심으로 궁금해하는 표정이었다.

"생각해 본 적도 없는 일이라 잘 모르겠습니다. 제가 도련
님을 싫어하게 되려면 대체 무슨 일이 있어야 할까요……."
"묘하게 아리샤랑 비슷한 얘기를 하네."
"아, 어쩌면 지금. 조금 싫어졌을지도 모르겠습니다."
"어……."

에반의 심장이 덜컥 내려앉았다. 눈앞이 새카매졌다가 제
빛을 찾았다. 그러자 어느덧 벨루아가 짓궂은 웃음을 짓고 있
는 것이 보였다.

"안심하세요, 도련님. 제가 이런 일로 도련님을 미워하게
되었더라면 수만 번으로는 부족했을 겁니다."
"지금 내가 개새끼라고 돌려 말하는 거지?"
"도련님은 항상 그렇게 핵심을 일부러 벗어나시지요."

벨루아가 한숨을 내쉬며 에반의 말을 고쳐 주었다.

"제가 도련님을 사모하고 있다는 이야기입니다."
"웃."

에반의 머릿속에서 던전에 대한 생각이 깔끔하게 날아간

순간이었다.

간접적으로, 그런 것치고는 비교적 노골적으로 몇 번인가 감정을 전달받은 적이 있지만 그녀에게서 이렇듯 직접적인 고백을 들은 것은 처음이었으니까.

다만 지금은 그 이유로 짐작이 가는 것이 있었다.

"왕도에서 있었던 얘기 들었구나."

에반은 아까 자신처럼 태연한 척을 하면서도 미처 붉어진 볼은 감출 줄 모르는 벨루아의 모습에 입술이 바짝 마르는 기분이었다. 벨루아가 가만히 고개를 끄덕여 긍정했다.

"우스운 이야기이지요. 아리샤 아가씨와 세레이나 전하께서 던전 도시에 오시는 순간부터 이렇게 되리라 예상하고 있었고, 각오도 하고 있었는데……."

"루아……."

"제 마음을 통제하는 데에는 요령이 있는 편이라고 생각했는데 아니었어요. 각오했던 것보다 많이 흔들리고 있습니다. 제 마음을 촌스러운 단어로라도 꺼내어 전달하지 않고선 견디지 못할 만큼."

"루아."

"웃."

흔들리는 그녀의 모습을 견디지 못한 에반이 충동적으로 자리에서 일어섰다. 벨루아는 반사적으로 뒤로 물러서며 말했다.

"도련님, 지금 제 상태는 다소 위험합니다. 마님께서 이르시길 감정이 제대로 통제되지 않는 마녀는 몬스터보다도⋯⋯."
"괜찮아. 받아 줄게."

에반은 순식간에 벨루아와의 자리를 좁혀, 그녀의 가느다란 허리를 한 팔로 끌어당겨 안았다.
마치 연인에게 외도를 들킨 남자가 되도 않는 스킨십으로 얼버무리려는 듯한 광경이지만 지금은 어쩔 수가 없다.

"앗⋯⋯."

벨루아는 반항할 틈도 없이 에반의 품에 안겨 눈만 깜박였다. 더없이 포근하고 편안해 분한 마음마저 들었다. 혹시 스킬일까?
에반의 얼굴이 지나치게 가깝다. 머리도 몸도 마음도 모조리 폭발해 버릴 것만 같았다. 그녀는 제 심정을 감추려 애써 퉁명스러운 투로 말했다.

"⋯⋯스킨십이 상당히 능숙하십니다, 도련님."

"오해야. 머릿속으로 열심히 시뮬레이션을 돌린 결과물일 뿐이야. 진짜로."

"하지만 상관없습니다. 제가 몇 번째이든, 도련님께서 저를 품에 안아 주시는 것만으로도 저는……."

그때 에반이 입술로 그녀의 입술을 막았다. 둘의 입술과 입술이 맞닿아, 몇 호흡인가 살짝 스쳐 미끄러지다, 이내 부드럽게 맞물려 완전해졌다.

뜨거운 숨결이 중간에서 속절없이 메아리치다 한계를 모르고 팽창해 터지려는 순간 비로소 두 사람은 다시 떨어졌다. 떨어진 입술 대신 둘의 시선이 뜨겁게 맞닿았다.

"처음이야."

한평생 호흡을 조절하는 격투술을 익혀 온 주제에 짧은 순간의 호흡 조절을 못 해 기침이 나오려는 것을 간신히 억누르며 에반이 말했다.

"루아가 처음이야. 첫 번째."
"……그렇습니까."

무엇이 처음인지 못 알아듣지는 않았으리라. 벨루아는 그녀답지 않게 조금 멍한 표정을 짓고 있다가는 이내 에반의 품에 얼굴을 완전히 묻어 버렸다.

"저도."

화염 마법을 다루는 마녀답게 그의 품을 적시는 숨결도 아주 뜨거웠다.

"저도 처음입니다. 도련님이 처음. 첫 번째. 언제나. 도련님뿐입니다."
"미안."
"제가 과분한 욕심을 내고 있을 뿐인데 어째서 그런 말씀을 하십니까."
"과분하지 않아, 루아."

에반은 그녀의 턱을 조심스레 붙잡고 얼굴을 들어 올려 이번엔 보다 부드럽게 입맞춤을 했다. 지그시 두 눈을 감은 벨루아의 기다란 속눈썹이 파르르 떨렸다. 그의 말이고 행동이고 너무 달콤하고 황홀해 견딜 수가 없었다.

아슬아슬하게 유지하고 있던 이성이 부드럽게 녹아 없어지는 느낌. 그와 동시에 가슴속 깊은 곳에서 피어나 순식간에 전신으로 치미는 욕망을 느꼈다.

'이것만으론 부족해. 그를 더 깊이 원해.'

그러나 머릿속에 충동의 이미지가 구체화되는 순간 벨루아는 직감했다. 위험하다. 이건 정말 위험하다. 에반이 받아 내지 못할 만큼 위험하다.

"이만 물러나겠습니다."

　벨루아는 다급히 에반에게서 떨어져 나왔다. 지금도 불쑥불쑥 치솟는 강렬한 충동에 스스로 소름이 끼쳤다.

"루아?"
"이 뒤는 나중에, 제가 좀 더 스스로를 통제할 수 있게 되면. 지금은 안 돼요. 도련님이 너무 저한테 무르시니까. 글쎄 과분하다고 했는데."

　나이가 열 살쯤 어려진 것처럼 두서없이 말을 뱉어 내며 벨루아가 황급히 뒷걸음질 쳤다.

"도련님 잘못이야. 아니, 싫다는 건 아녜요. 너무 좋아요. 뭐든 제가 도련님의 처음이었으면 좋겠어요. 하지만 지금은 안 돼. 분명 절 싫어하게 되실 거예요."
"내가 널 싫어하게 될 리가……."
"그, 그럼 실례하겠습니다."

에반의 이어지는 말도 듣지 않고 벨루아가 문을 열더니 그대로 뛰쳐나갔다.

그녀가 저렇게 당황하는 모습은, 하물며 마법도 구사하지 않고 맨발로 달려 나가는 모습은 마족 대공습 이래 처음 봤다.

"대체 왜…… 아니, 그런가."

분명 처음이라 그런 것이리라. 에반도 전생이라는 경험이 있지 않았더라면 지금보다 훨씬 더 어색하고 힘겨워했을 테니까.

하지만 그녀의 태도에는 그것만으로는 해석하기 힘든 무언가가 섞여 있었던 것 같은데…….

"도, 도련님."

그 직후 문이 다시 열리고 샤인이 들어왔다. 아무래도 복도에서 벨루아와 마주친 모양이었는데, 다만 그의 안색이 무척 창백했다. 마치 요마왕과 만나고 오기라도 한 듯한 표정이었다.

"벨루아한테 대체 무슨 짓 하셨습니까?"
"키스했어."
"고작?"
"고작? 나와 루아의 첫 키스였는데?"

"아니 그게 고작은 아니지만요."

샤인은 어처구니가 없어 고개를 저었다.

"벨루아 녀석의 반응이 너무 요란하지 않습니까. 얼굴만 보면 무슨…… 아니, 아무것도 아닙니다. 아, 시끄러. 아니라니까. 아니라고 하시잖아."

아무래도 유령 아가씨가 참지 못해 말을 건 모양이었다. 샤인은 팔찌를 두들겨 유령 아가씨를 침묵시키고는 말을 이었다.

"키스 두 번만 더 하면 천지라도 창조하겠습니다. 벨루아가."
"통제가 안 된다느니 내가 나쁘다느니 하면서 도망쳤는데?"
"'메이벨 현상'이군요. 압니다."
"그 듣기만 해도 오한이 돋는 현상은 대체 무슨…… 아니, 얘기하지 마. 절대 얘기하지 마."

아무튼 중요한 것은 벨루아가 에반을 좋아하고, 에반도 벨루아를 좋아한다는 것이다. 지금은 그것만 알면 됐다. 그 이상은 파고들고 싶지 않았다.
그런 에반을 보며 샤인이 자못 심각한 투로 말했다.

"그리고 도련님, 이건 현실적인 충고입니다만."

"뭔데?"

"이거 다른 분들한테 안 들키게 하십쇼. 난리 날걸요."

"……."

순간 아리샤나 세레이나, 메이벨이 이 사실을 알았을 때의 반응을 떠올린 에반은 몸을 부르르 떨었으나, 이내 후우, 한숨을 토해 내며 편안한 신색을 되찾았다.

그 모습에 내심 놀라워하는 샤인을 마주 보며 에반은 침착한 목소리로 말했다.

"그건 아리샤와 약혼하기로 결심한 순간부터 각오하고 있던 일이야. 아리샤 때문에 루아를 외면할 수도 없었고, 그렇다고 아리샤를 기만할 생각도 없었으니까. 그러니 전부 받아들일 거야."

그게 마음이 됐든 식칼이 됐든 전부. 무턱대고 찔릴까 봐 무서워하며 그녀들을 피하던 시기는 진즉에 지난 것이다.

"뭘 바라든 다 해 줄 거야. 적어도 내가 함께 가기로 정한 사람들에게는 뭐든지. 그럴 각오가 없었으면 루아한테 키스하지도 않았어."

"……."

인간관계가 되었든 저주가 되었든 그를 죽음으로 몰고 가지는 못한다. 그렇다면 전부 끌어안고 끝까지 갈 것이다.

그런 굳건한 각오를 다진 에반을 보며 샤인은 경외감마저 느꼈다. 이전부터 존경하고는 있었지만 정말이지 그의 주인은 그릇이 다르다……!

"도련님이 너무 눈부셔서 마주 바라볼 수가 없습니다."

"오버하긴, 용건이나 꺼내 봐. 보고하려는 게 있어서 온 거 아니었어?"

"아, 옙. 가장 먼저 던전에 진입한 자들에 대한 보고입니다."

샤인은 에반의 말 한마디에 바로 업무 모드로 전환했다. 에반은 역시 이 녀석도 난놈이라고 생각하며 피식 웃었다.

"이미 알려진 대로 과거의 던전 도달 계층 기록이 완전히 리셋되었습니다. 과거 셰어든 던전을 몇 층까지 탐험했든 1층부터 시작해야 하고, 따라서 모두 1층으로 진입했습니다."

"응."

"아시는 대로 핏빛 사과, 히트실드, 피닉스와 같은 우호 관계의 대형 길드 대부분이 도련님의 사전 지시를 준수해 대기 상태를 유지하는 가운데 주로 개인 구성 파티와 소형 길드에 의한 무분별한 돌입이 이루어졌고……."

던전의 개방 소식이 알려진 지 만으로 하루, 슬슬 던전 내부 상황에 대한 보고가 올라와도 이상하지 않을 타이밍이었다. 에반은 뒤로 이어질 보고의 내용을 익히 예상하며 작게 한숨을 불어 냈다.

"현재까지 사망자 수는 공식적으로 확인된 것만 1,300명. 실시간으로 늘어나고 있습니다."

"……쯥."

역시나. 각오하고 있던 일이지만 그래도 터무니없는 수준이었다. 물론 대다수가 어중이떠중이일 테지만 그렇다고 해도 첫날에 이 정도 숫자의 사망자가 발생하는 것은…….

"도련님의 예지…… 예상이 맞았습니다. 던전 난이도는 이전과 단순히 비교해도 최소 30% 이상, 50% 가까이 어려워진 것으로 보입니다. 내부 환경도 판이하게 달라졌으며, 함정도 보다 치밀해졌습니다. 물론 이는 펠라티도 마찬가지라고 합니다."

따라서, 하고 샤인이 담담히 보고를 마무리했다.

"던전을 오르는 것이 터무니없이 힘겨워졌습니다. 던전에 들어가기 전 최소한의 존재 레벨과 스킬을 단련하는 것이 필

수 사항이 될 겁니다."

에반은 그 말을 들으며 두 주먹을 꾹 쥐었다. 한 손에 열 마리씩 도합 스무 마리의 초미니 슬라임이 비명도 지르지 못하고 터져 나갔다.

요마대전 3이 정말로 시작되어 버렸음을 새삼스레 실감했다.

다음 날 아침. 벨루아는 언제나처럼 에반을 깨우러 그의 침실로 향했다.

메이벨이나 디오나, 하물며 아리샤까지도 이 역할에 탐을 냈지만 그녀는 다른 모든 것은 양보해도 이것만은 결코 양보할 생각이 없었다.

"스으……."
"도련님, 아침입니다."

문을 조심스레 열고 들어선 벨루아는 마찬가지로 조심스레 문을 닫고는 에반이 잠든 침대로 다가가 그를 불렀다.

에반은 잠버릇이 얌전하고 숨소리도 고요하지만 한 번 부르는 정도로는 일어나지 않는다. 벨루아도 익히 알고 있는 사실이다.

"……"

 벨루아의 시선이 한순간 잠든 그의 두 손으로 향했다. 그의 손아귀에 쉴 새 없이 소환되는 슬라임이 쉴 새 없이 터져 나가는 모습이 보였다.

 잠들어 있을 때 반복적인 행동을 하게 하는 저주가 담긴 나이트캡을 활용한 수면 중 슬라임 수련은 지금까지도 꾸준히 이어지고 있었다.

 집념이니 광기니 하는 차원을 넘어 이것은 이미 일종의 신앙이 아닐까, 벨루아는 그런 생각을 할 때가 있었다.

"……"

 그녀의 시선은 이어서 그의 얼굴로 향했다. 두 손은 격렬한 운동을 하는 주제에 정작 그의 잠든 얼굴은 지극히 얌전하고 순수하여 성스럽게마저 느껴졌다.

 그럴 수 있게끔 저주의 무게를 조절한 덕이긴 하지만 가끔은 그것을 보며 기가 막혔다. 어떤 감상을 품든 이내 사랑스럽다는 결론에 이르지만.

"도련님."

 가만히 그를 불러 보았다. 물론 일어나지 않는다.

"……에반."

그의 이름을 입에 담았다. 일어나지 않는다. 그녀는 가볍게 웃곤 허공에 손가락을 가볍게 휘저었다. 나이트캡의 저주가 중단되고, 목걸이의 소환 의식도 함께 중단되며 격렬했던 수면 수련이 비로소 끝을 맞이했다.

하지만 그래도 에반은 일어나지 않았다. 그가 늦게 일어나도록 벨루아가 간단한 마법을 부렸기 때문이다. 아주 조금만, 매일 아침의 의식을 치를 수 있을 정도로 조금만 늦게 일어나도록.

"스으으……."

벨루아는 허리를 굽혀 가만히 그에게 얼굴을 가까이했다. 아무리 많이 봐도 질리지 않는 그의 잠든 얼굴을 찬찬히 바라보다 조심스레 간격을 좁혀, 그의 입술에 입을 맞추었다.

"음……."

행여나 그가 놀랄까 천천히, 지극히 짧은 순간. 하지만 결코 잊히지 않을 만큼 진하게.

"미안해요."

키스를 받았음에도 잠에서 미처 깨어나지 않은 왕자님을 향해 벨루아는 아주 작은 목소리로 고해성사를 바쳤다.

"사실 그건 우리의 처음이 아니었어요."

그도 그럴 것이 그녀는 매일 아침 에반을 깨우러 오니까. 둘의 첫 키스는 벌써 까마득한 옛날 이루어졌다. 물론 그중에서도 어젯밤의 키스가 제일 기쁘고 떨렸지만.

그녀의 이 자그마한 반역을 알게 되면 에반은 역시 화를 낼까. 화를 내겠지. 하지만 끝내 용서해 줄 것이다. 용서해 줬으면 좋겠다.

에반에게 미움을 받는 것은 죽기보다 싫었다. 그런데도 매번 이 충동을 참지 못하는 스스로에게 어처구니가 없었다.

"도련님."

의식을 마친 그녀는 한 걸음 떨어져 다시 에반의 이름을 불렀다. 에반은 그제야 으음, 소리를 내며 천천히 눈을 떴다.

"루아……?"
"예, 도련님. 좋은 아침입니다."

벨루아는 언제나처럼 입가에 희미한 미소를 띠며 에반을

일으켰다. 에반은 어젯밤 상태가 이상해 보였던 벨루아가 언제나와 같은 상태를 유지하고 있는 것에 안심하며 그녀에게 마주 미소 지었다.

"늘 고마워."
"이게 제 일이니까요."

아니, 일 같은 게 아니다. 결코 누구에게도 양보할 수 없는, 벨루아만의 권리다.
그녀는 에반의 머리에 씌워진 나이트캡을 벗겨 주며 재차 자그맣게 미소 지었다.
오늘도 다시 던전 도시의, 에반의 하루가 시작된다.
벨루아의 작은 비밀은 아직 누구에게도 들키지 않았다.

❀ ❀ ❀

던전 개방으로 인한 혼란은 몇 주가 지나도 쉬이 가라앉지 않았다. 사람들은 던전이 어려워졌다는 것을 알면서도 다른 이들에게 뒤처질까 두려워 구역구역 던전에 도전했고, 그럴수록 사망자의 숫자는 늘어나기만 했다.

"언제쯤이면 진정될까요."
"아마 앞으로 한 달은 걸리지 않을까? 바깥의 던전은 몰라도 셰어든 던전은 일반 보스를 최초로 클리어한다고 뭐 특별히 얻을 수 있는 것도 없다는 사실을 사람들이 깨닫고 머리를 식히려면 그 정돈 필요하겠지."

거리를 가득 메우고 있는 탐험가의 행렬을 보며 샤인이 한숨을 쉬곤 하는 말에, 에반은 거리 외곽에 신설되고 있는 형제 와이너리의 건설 현장을 감시감독하며 심드렁하니 대꾸했다.

"셰어든 던전에서 차별적인 보상을 얻으려면 단순히 빠른 것만으로는 해결되지 않는데 말이야."
"히든 보스가 됐든 비밀 통로가 됐든…… 셰어든 던전의 특별 보상은 극한에 이르는 도전과 비밀 탐구의 영역에 치중되어 있죠."
"응. 그리고 사실 그런 건 부가적인 요소일 뿐이지. 인간이 던전에서 추구해야 하는 것은 오직 만남…… 아니, 강함이야."

던전은 그 자체로는 인간계 침략을 위한 마족의 교두보일 뿐. 거기에 신들이 간섭해 인간이 효율적으로 대항하고 성장할 수 있도록 만든 것이다.
던전에서 얻을 수 있는 대부분의 재화는 인간들을 보다 적극적으로 움직이게 하기 위한 수단에 불과하다.

'물론 피닉스의 깃털처럼 던전이라는 특수한 환경에서만 탄

생할 수밖에 없는 진짜배기 보물들도 있기야 하지만.'

그것이야말로 마냥 던전을 빨리 공략한다고 얻을 수 있는
것이 아니다.

하물며 이번에 대변화를 마치고 나타난 던전은 워낙 넓고 깊
어 이전까지의 던전과 단순히 비교할 수 있는 수준을 넘어선바,
꽁지에 불붙은 것처럼 던전에 돌진한 멧돼지들은 던전의 진체
와 마주하기도 전에 스스로 불타 나자빠지고 말 것이다.

"뭐 그렇게 죽을 놈들 죽고, 던전의 위험성과 난이도도 어
느 정도 분명해지고 나면 그때부턴 우리 차례지."

"던전에 들어가시려는 거군요."

"후작가의 기사들과 병사들을 위해서라도 가이드라인을 작
성하기는 해야 하니까. 거기다 디오나도 키워 줘야지."

에반의 담담한 말에 샤인이 히죽히죽 웃으며 말했다.

"과연 인도자십니다."

"시끄러, 인마."

인도자라 함은 과거 던전에서 에반이 얻은 두 번째 클래스
를 이르는 것이다.

개인의 능력을 증가시켜 주거나 보조해 주지는 않지만 에

반을 마음 깊이 따르는 모든 이의 능력을 무려 30%나 증폭시켜 주며 심지어는 성장 속도마저 배가시켜 주는 리더 계열 클래스의 끝판왕!

외도와 마찬가지로 게임에서도 본 적이 없는 클래스였는데, 사실 이 클래스의 능력 자체만 놓고 보면 신들에게 절을 해도 모자랐다. 그가 파티원들을 이끄는 것만으로 파티 전체에 막대한 버프가 걸리는 것이나 마찬가지였으니까!

문제는 클래스 이름에 있다. 인도자 자체만 놓고 보면 아무런 문제도 없는데, 하필이면 그가 얻은 첫 번째 직업이 외도라서…….

"외도의 인도자라니, 내가 사람들 데리고 사이비 교단이라도 하나 세울 것 같잖아."

"그것도 나쁘지 않은 것 같습니다. 교단 만드시면 저한테도 한 자리 주십니까?"

"넌 제사 의식의 첫 번째 제물로 바칠 줄 알아."

"너무하십니다."

"도련님!"

"아, 메이벨."

에반이 샤인과 만담을 나누며 건설 현장을 감독하던 중 메이벨이 언제나처럼 갑자기 나타나더니, 언제나처럼 진행 상황에 대한 보고를 줄줄이 늘어놓았다.

"핏빛 사과, 피닉스, 히트실드와는 이야기가 모두 정리됐습니다. 세 길드는 채집 물품 목록만 제대로 작성된다면 형제 와이너리에만 독점적으로 원재료를 공급하기로 약속했어요."

"그거야 처음부터 채집 방법이랑 같이 배부하려고 했었고. 일반 탐험가들은?"

"일확천금에 눈이 멀어 있는 상태라서 아직 이런 소소한 의뢰에는 눈도 주지 않는 모양이에요. 예상하고 있던 일이지만요."

"뭐 그렇겠지. 그래도 홍보는 철저히 해 둬. 건물도 곧 완공될 예정이니까 직원들도 확실히 뽑아 두고."

"넵. 아, 그런데 도련님."

메이벨은 고개를 끄덕이더니 문득 생각났다는 듯 말했다.

"후작님께서 던전 축제를 7월에 여시겠다고."

"아…… 그것도 있었지."

3년 전의 던전 축제는 당연하지만 취소되었다. 핏빛 사과며 던전 기사단, 에반의 활약으로 끔찍한 규모의 습격을 받았음에도 비교적 적은 피해로 재난을 넘긴 셰어든이었으나 그렇다고 비극적인 사건들을 모두 모른 척할 수는 없는 노릇이었다.

그렇게 차일피일 미뤄 온 던전 축제를 올해가 되어 비로소 다시 열게 된 것. 대신 원래라면 10월에 열렸을 축제가 7월로 당겨지기는 했지만 말이다.

"적절하긴 하지. 7월이면 다들 어느 정도 진정도 했을 테고, 던전이 열린 것을 기념하기에 좋기도 하고."

다만 마음에 걸리는 것은 혹시나 그 안에 던전 역류가 터지지 않을까 하는 것이다.

원래 던전에 대변화가 일어나면 당분간은 역류가 일어나지 않는 것이 정석이기는 하지만 던전이 폐쇄되어 있던 기간이 기간이지 않은가.

더구나 게임의 정보를 참고만 할 뿐 전적으로 의지하지 않기로 정했으니, 지금도 마음 놓고 있는 것은 금물이었다.

"그 문제는 아버지와 형이랑 얘기를 해 둘까. 이번엔 내가 자리를 비울 것도 아니고 확실하게 대비해 두면 되겠지."

"셰어든의 병사들도 눈에 띄게 강해졌으니까요. 괜찮을 거예요."

마족 대공습 당시 에반이 크게 후회한 일이 또 한 가지 있다면 정병을 보다 확실하게 육성해 두지 못했던 것.

물론 알고 있는 비기를 일부 풀어 힘껏 육성하기는 했지만 그것만으로 병사들이 마족이나 고위 몬스터를 상대할 수는 없는 노릇이었다.

따라서 그 일이 있은 후, 에반은 방어와 추적 능력에 특화된 수련법을 셰어든 병력 전체에 전파하고 직접 그들을 감시

감독하며 가열 차게 훈련시켰다. 기사단장 미하일 디 에어로크와 합심하여 기사단을 더더욱 빡세게 굴렸다.

그날의 비극으로 인원이 다소 줄어들기는 했지만, 결과적으로는 당시와 비교할 수도 없을 만큼 강력한 군대가 완성될 수 있었던 것도 모두 그 덕이었다. 지금은 모든 셰어든 경비병이 어지간한 탐험가들도 뚫지 못할 만큼 단단하다는 것으로 유명했다.

'이젠 그중 특히 능력이 뛰어난 이들을 골라 공격 능력을 겸비한 병사들, 기사들도 육성해야겠지…….'

던전이 열렸다. 요마대전 3의 시나리오가 곧 시작된다. 마족들과의 전면적인 충돌이 가까워져 오고 있다는 얘기다.

에반 본인만 강해선, 던전 기사단만 강해선 많은 이를 지킬 수 없다. 수단을 가리지 않고 할 수 있는 모든 일을 해내고야 말 것이다.

"그때 얘기했던 것들은 어때. 발견된 징조들은 있어?"
"아뇨, 아직은요."
"흐음."

요마대전 3의 초기 무대는 어디까지나 셰어든이지만, 그 와중에도 곳곳에서 발생하는 사건에 주인공이 여기저기 끼어들게 되며 판이 급격하게 커져 간다.

세계 곳곳에서 벌어지는 마족의 암약, 마족의 사주를 받고 같은 인간을 해하는 인간들, 마족에 반발하며 인간은 더더욱 증오하는 강대 몬스터 부족의 준동, 요마대전 3에서부터 조금씩 싹을 보이는 사이비 교단과의 전투…….

그런 굵직굵직한 사건들은 표면으로 떠오르기 전부터 조금씩 징조를 보이게 마련인데 아직까지는 별문제가 없는 모양이었다.

'게임이 정식으로 시작되는 건 지금으로부터 2년 후 시점이라서 그런 건가. 하지만 던전 대변화는 예정보다도 훨씬 일찍 이루어졌는데. 발생할 사건들의 부류가 완전히 달라졌을 가능성도 배제할 수 없지. 다방면으로 촉각을 곤두세우고 있어야 해.'

그런 것보다도. 에반은 자신을 물끄러미 바라보고 있는 메이벨에게 보고는 그걸로 됐다며 손을 휘휘 저어 주면서 나직이 중얼거렸다.

"망할 주인공 놈은 지금 어디서 뭘 하고 있으려나 모르겠네. 빨리 찾으면 찾을수록 우리가 유리해지는데……."

"'네임' 말이죠?"

"그 이름은 어디까지나 추측이지만 말이야."

요마대전 제로를 제외한 모든 요마대전 시리즈를 통틀어 최고의 재능을 타고난 녀석을 한 놈만 고르라면 누구나가 아무런 의심의 여지도 없이 요마대전 3의 주인공을 고를 것이다.

물론 재능 하면 요마대전 2의 주인공인 레오도 빠지지 않지만, 레오는 오랜 세월 지속적으로 이어지는 극한의 상황에서 구르고 또 구르며 천천히 성장한 반면 요마대전 3의 주인공은 열여덟 살에 탐험가가 되겠다는 꿈 하나만 품고 던전 도시로 올라와 불과 몇 년 만에 전 세계에서 가장 강한 사람으로 성장하는 만큼, 모든 면에서 레오와는 다른 진정한 재능충이었다.

'새삼 열 받네. 모든 시리즈 통틀어 가장 운도 좋고 재능도 훌륭하고 여복도 터졌고. 확 터트려 버리고 싶다.'

만약 다른 이가 그런 에반의 생각을 엿들었더라면 지금 대체 누구 얘길 하는 거냐며 어처구니없어하겠지만 에반은 그런 건 알 바가 아니었다.

아무튼 놈을 확보하기만 하면 확실하게 굴려 줄 것이다. 물론 같이 있기는 싫으니까 던전 기사단에 들이지는 않겠지만. 그는 아리샤는 믿지만 주인공은 믿을 수 없는 것이다. 가까이 다가오지도 못하게 할 것이다.

"그런데 그놈을 찾을 수가 없단 말이지……."

"실크라인 출신인 건 확실한가요, 도련님?"

"응. 실크라인의 이름 모를 산골 마을 출신일 거야."

　요마대전 3은 18세가 되는 봄, 탐험가의 꿈을 안고 셰어든에 도착한 주인공의 시점에서 시작된다.
　보다 정확히는 요마대전 3의 메인 히로인 양대 산맥 중 아리샤가 아닌 다른 한쪽, 주인공과 동갑내기 소녀인 수련 마법사 르나일과 충돌 사고를 일으키는 장면에서부터.

　'파란 머리의 포니테일에 탐구심 넘치는 활발한 소녀. 아리샤도 아리샤지만 이쪽도 제대로 정통파 느낌이었지…….'

　게임 속의 아리샤가 손에 닿지 않는 고귀한 신분의 아름다운 아가씨로 나타나 주인공을 후원해 주며 그에게 성장의 동기를 불어넣어 주는 역할이라면, 르나일은 처음부터 주인공의 옆에서 함께 성장하며 그를 정신적으로 보조해 주는 역할이었다.
　던전 도시에 대해 아무것도 모르고 찾아온 주인공은 그녀에게 크게 의존하며, 그로 인해 여러 가지 사소한 사건이 생겨나기도 하지만 결과적으로는 함께 사건을 해결해 가는 과정에서 둘의 사이가 깊어져 가고…… 뭐, 쉽게 말하면 요마대전 3에서 가장 공략하기 쉬운 히로인이다.

"그렇게 정리해 버리니까 기분이 이상하네요…… 앗, 하지만 전 도련님이 대상이라면 언제든지 베리이지 난이도랍니다! 공략 성공 축하드려요!"

"베리이지고 자시고 이미 공략이 끝나 있잖아!?"

그래도 요즘은 좀 자제하는 것 같더니 다시 접근 방법을 바꾼 걸까? 공략이 완료되었다며 달려드는 메이벨을 필사적으로 밀어내고 있는데 샤인이 고개를 갸웃하더니 말했다.

"도련님의 이번 예지는 어째 소설에서 많이 본 듯한 얘기군요. 많은 이야기가 꼭 소년과 소녀가 만나면서 시작되지 않습니까."

"넌 가끔 그렇게 쓸데없이 예리한 말을 할 때가 있더라. ……그래서 메이벨, 얘기 나온 김에 르나일은 지금 어쩌고 있어?"

주인공과 깊게 연관되는 인물이기도 한 만큼 르나일에 대해서는 일찍이 정보를 수집해 두고 있었는데, 그 역할은 용병 길드를 만들면서 함께 정보 길드를 창설해 관리하고 있는 메이벨이 맡아서 하고 있었다.

"언제나처럼 펠라티의 마탑에서 수련을 하고 있죠. 일주일 전 보고로는 아직 나올 기미는 없다나 봐요."

"역시 그런가……."

"도련님, 그 여자 정보는 파악해서 어쩌시려는 겁니까?"

"말 잘했어. 르나일이 셰어든으로 오는 그 순간부터 집중적으로 마크할 생각이야. 만약 내가 주인공을 찾지 못해도, 이 녀석만은 반드시 주인공과 만나게 되어 있으니까!"

"……정말로? 확신할 수 있습니까?"

"실은 아니."

에반은 피식 웃고 말았다. 쓸데없다는 말은 취소다. 샤인 이 녀석은 자신과 관련된 일만 아니면 깜짝 놀랄 만큼 예리하다.

"그냥 내 바람일 뿐이야. 실제로는 사소한 뭔가가 어긋나 둘이 만나지 못할 가능성이 얼마든지 있지. 다만 둘이 만날 가능성이 높다고 보고 그녀를 감시할 뿐. 실제로 주인공은 다른 방법으로 계속 수색하고 있잖아."

이미 이 세상은 게임과 모든 면에서 다르다. 에반이야말로 그것을 누구보다 잘 알고 있는 사람이었다.

그럼에도 르나일이 주인공과 만나리라 생각했던 것은…… 아마도 단순한 예상이나 예측이 아닌 그의 바람이었으리라.

요마대전 3을 즐겁게 플레이했던 팬심에서 우러나온 바람.

요마대전 3의 상징과도 같은 주인공과 르나일의 투샷을 보고 싶다는 마음.

'덤으로 둘이 짝짜꿍하고 아리샤는 감히 넘보지도 말았으면

좋겠다는 바람도 있지.'

만약에라도 아리샤에게 접근하려 했다간 주인공이고 뭐고 없다. 그놈은 그리 유쾌하지 못한 방식으로 배제한 후, 대신 디폴트를 끼워 같이 요마왕 잡으러 가는 것이다. 그 녀석도 요마대전 5의 주인공이니 뭐든 한 건 해 주겠지.

"어라, 도련님. 신기하네요. 바로 방금 그녀에 대한 새로운 보고가 들어왔어요."
"그녀?"

그때였다. 메이벨이 자신의 귀에 손을 가져다 대며 깜짝 놀란 표정을 짓더니 그런 말을 했다.

"도련님께서 말씀하신 르나일에 대한 보고가."
"허, 그것참 공교롭게도 말이지."

그녀는 거대 상회를 관리하는 장이 된 이래 어디에 있어도 보고를 받을 수 있도록 한쪽 귀에 통신기를 장착하고 있었다.
그런데 누군지 모를 부하로부터 일련의 보고를 들은 후, 메이벨은 눈을 살짝 크게 뜨며 에반을 돌아보았다.

"지금 그녀가 마탑에서 나올 준비를 하고 있다는데요?"

그리고 에반에게 청천벽력 같은 보고를 해 왔다.

✵✵✵

요마대전 3의 메인 히로인 중 한 명인 르나일이 마탑에서
나올 채비를 하고 있다는 얘기를 들은 에반은 처음엔 어떻게
해야 할지 고민했지만, 끝내 메이벨을 통해 르나일이 모르게
원거리에서 그녀를 감시하고 보호하도록 했다.

그는 이쪽에서 섣불리 나서 접근하며 변수를 만드는 것보
다는 이렇게 보호하는 쪽이 나으리라고 판단한 것이다.

만약 그녀가 요마대전 3의 주인공과 만나게 된다면 물론 좋
은 일이고, 만나지 않는다면 그때 가서 그녀를 어떻게 할지 생
각해도 늦지 않을 테니까.

"그녀가 던전 도시에 오고, 주인공과 만나지 않는다면 행동
을 다소 유도해도 괜찮겠지. 피닉스 길드에 넣어 전투 마도사
로 육성한다든가, 아니면 메이벨이 직접 나서서 용병으로 만
든다거나."

"그 정도로 그녀의 자질이 뛰어난가요?"

"응. 마탑은 개인 정보를 밝히지 않으니까 모르려나. 걔 거
기서 수석이야. 실기보단 이론이 빠삭한 녀석인데, 그래서 실
기 면을 보충하려고 탐험가로 나선 거지. ……내 불확실한 예
지에 따르면 말이야. 실제로도 뭐 그리 다르지 않겠지."

별다른 전투 능력 없이 셰어든에 도착해 무모하게도 곧장 탐험가로 나서는 무대뽀 주인공과는 달리 그녀는 등장 순간부터 초급 고위에 해당하는 마법 능력을 갖추고 있는데, 그것은 초반부 트롤링을 하기 쉬운 주인공 캐릭터를 몇 번이고 구제해 주는 안전장치의 일종이 된다.

　등장 당시의 능력뿐만 아니라 마도사로서의 잠재력도 실로 출중한데, 거기에 랭크를 매기자면 적어도 아리샤 정도는……까지 생각했던 에반은 다음 순간 고개를 저어 버리고 말았다.

　물론 게임에서는 두 캐릭터의 능력이 거의 비슷하게 묘사되었지만 지금 그는 게임을 하고 있는 것이 아니니까. 아리샤는 데이터가 아니고, 어린 시절 에반과 만나 게임과는 비교도 되지 않을 만큼 바뀌었고 성장했다.

　'그런 그녀와 아직 한 번 만나 보지도 않은 르나일을 비교하는 건 아리샤에게 실례되는 일이지.'

　물론 게임 속 데이터도 무시할 수 없는 이상 그녀의 능력이 출중하리라는 것은 확신할 수 있지만 거기까지였다. 다른 누구와 비교할 수는 없다.

　"전 또."

그의 지시를 모두 받아들인 메이벨은 어딘가 안심한 표정으로 고개를 끄덕였다.

"전 도련님이 르나일이란 아이를 첩으로 삼으려고 보호하시는 줄 알았죠."

"······뭐?"

"예쁘다는 소문이 자자하더라고요. 개인 정보를 철저히 감추는 마탑에서도 그 정보만은 감추지 못했을 정도로요. 그래서 혹시 도련님이 눈독을 들이시나 했는데······."

말도 안 되는 소리다. 에반은 진심으로 안도하는 메이벨을 보며 어처구니가 없어 말했다.

"내가 그렇게 예쁜 여자에 환장한 놈이었으면 여태 널 가만히 놔뒀을 리가 없잖아."

"어, 어쩜 도련님도 참! 참 정말!"

메이벨이 에반의 팔을 퍽퍽 때리며 부끄러워했다. 오우거의 주먹을 받아 내도 생채기 하나 안 생기는 에반의 피부가 그정도로 고통을 느낄 리 없을 텐데 메이벨의 손바닥에는 그런 내성을 뚫고 들어오는 뭔가가 있었다. 이런 건 메이드의 기술인 것일까, 에반은 진지하게 고찰했다.

"메이벨, 아파."

"그렇게 자연스럽게 여자를 꼬시면 안 돼요, 도련님! 그런 건 또 어디서 배우셔 가지고 차암!"

아까는 분명 공략 완료라고 했던 것 같은데 거기서 더 올라갈 호감도가 남아 있었단 말인가. 다만 에반도 노골적으로 기뻐하는 메이벨의 모습을 보며 그리 나쁜 기분은 들지 않았다.

"내 얼굴로 이런 말을 하니까 먹히는 거야, 메이벨. 이런 멘트는 다른 사람이 쓰면 잡혀가."

"아, 그것도 그렇긴 하네요."

기뻐하다 말고 진지하게 고개를 끄덕이는 메이벨의 모습에 가만히 둘의 대화를 듣고만 있던 샤인이 기가 막힌다는 듯 한숨을 토해 내며 말했다.

"저 혹시 방해됩니까? 자리 비워 드려요?"

"아니, 내가 나갈 거야. 도련님이 내리신 명령을 수행해야 하니까. 그럼 도련님, 바로 가 볼게요."

"어, 그래. 부탁한다."

메이벨은 에반에게 윙크를 해 보이곤 정말로 자리에서 물러났다. 에반은 그녀를 배웅하고는 역시나, 하고 고개를 끄덕였다.

"변하긴 변했어."
"예전이었으면 어떻게든 도련님을 침실로 끌고 들어가려고 발악했을 타이밍이죠."
"부탁인데 좀 더 부드러운 표현으로 해 줄 수 없을까?"

에반은 샤인의 말에 한숨과 함께 대꾸하곤 어깨를 으쓱였다. 아무래도 조만간 날짜를 잡아 메이벨과 얘기를 하기는 해야겠다는 생각이 들었다. 에반이 받아들이기로 한 모든 대상에는 물론 메이벨도 포함되어 있었으니까.

'……사실 메이벨만 쏙 빼놓는 게 무서워서 그런 것도 있긴 있지만.'

물론 이 사실은 다른 이들에게는 끝까지 숨길 것이다.
사천왕 제프렐까지 홀로 사냥한 에반이 메이벨을 무서워한다는 것은 조금 많이 한심한 일이니까.

시간은 정말 빠르게 흘렀다. 던전 개방이 가져온 크나큰 혼란에 탐험가들이, 그리고 셰어든의 주민들이 적응하는 사이 형제 부티크와 형제 와이너리도 무사히 완공되어 오픈했다.

와이너리 쪽은 결과물이 나오기까지 오래 걸리는 터라 아직은 대규모로 원재료를 매입하고 있을 뿐이었지만, 부티크는 오픈 첫날부터 확실하게 인기를 끌었다. 허구한 날 던전에 들어가는 탐험가들도 패션에는 민감했으니까. 특히 여성 탐험가들, 그중에서도 마도사들은 더더욱 그랬다.

'후후, 왜 이전엔 이 생각을 하지 못했나 몰라요. 인류의 최전선에서 활약하는 전사와 마도사들이 제 옷을 입고 다닌다니 실로 짜릿한 일이 아닐 수 없네요!'

왕도에서도 잘나가던 디자이너 오트파는 새로운 환경에 무척이나 만족한 것처럼 보였다. 던전에서 나오는 천 재질의 소재를 활용할 수 있게 된 에반 입장에서도 만족스러운 일이 아닐 수 없었다.

게임에서도 천 소재를 활용하려면 왕도, 혹은 마나로드에 가는 수밖에 없었는데 이젠 그것이 해결된 것이다. 던전 도시는 점점 요마대전 시리즈의 플레이어라면 누구나가 꿈꿀 법한 완벽한 환경으로 탈바꿈해 가고 있었다.

"에반, 축제가 열리는 날까지 와인의 시제품을 받아 볼 수 있겠니? 셰어든의 모든 이에게 기념이 될 날이니 기왕이면 셰어든에서 생산된 와인으로 기념하고 싶구나."

"그때까지는 충분히 가능할 거예요, 아버지. 원재료 수급도 슬슬 안정적으로 돌아가고 있으니까."

던전이 개방된 지 두 달, 5월도 중반을 넘어서면서 비로소 셰어든은 안정기에 접어들기 시작했다.

무수한 피가 흐른 끝에야 탐험가들은 단지 서두르기만 해서는 던전을 공략할 수 없다는 당연한 진리를 깨달았고, 그때까지 사태를 관망하고 있던 대형 길드들도 비로소 움직이기 시작했다. 형제 와이너리에 안정적인 재료 공급이 시작되었다는 얘기였다.

"어스트레이도 슬슬 움직이겠구나."
"네. 물론 서두를 필요는 없겠지만요."

에반은 소라인 후작의 말에 고개를 끄덕이면서도 머릿속으로는 그간 받은 보고들을 떠올리고 있었다.

사실 의외로웠던 것은, 대변화 이후의 던전이 그가 전생에 게임을 하며 파악했던 것과 비교해 그리 달라지지 않았다는 점이었다.

'이것저것 게임과는 다른 일이 워낙 많이 발생한 터라 대변화 이후의 던전도 딴판일 줄 알았는데 전혀 그렇지 않았지. 이럴 줄 알았으면 더 일찍 들어갔을 텐데.'

적어도 지금까지 던전에 들어간 탐험가들이 파악한 바로는 그랬다. 보다 넓어진, 보다 다양한 환경을 품게 된 던전. 그것은 요마대전 3의 중후반부 무대로 이어지는 셰어든 던전의 모습 그대로였다.

보고만 듣기로는 등장하는 몬스터와 함정도 마찬가지였다. 그래서 에반이 나서려는 것이다. 심층으로 파고들어 가 그곳도 변하지 않았는지 확인하기 위해.

"던전에서는 항상 조심해야 한다, 에반. 이번 던전의 대변화에 마족들이 개입되어 있는 것이 확실한 만큼 더더욱, 말이다."

"네, 아버지. 어쩌면 던전 안에 메르딘에 대한 힌트가 숨겨져 있을지도 모르고요."

"음."

메르딘. 그 말에 후작의 안색이 변했다. 왜 아니겠는가. 세 던전 도시 중 가장 끔찍한 비극을 맞이한 곳이 메르딘이었으니까.

차라리 그곳이 마족의 공습으로 완전히 망해 버렸다면 어떻게든 수습하고 대처라도 할 수 있다. 하지만 도시 자체가 결계로 봉쇄되었으니 어찌하겠는가.

그 결계를 파괴할 방법이 없는 이상 결계가 저절로 사라지거나, 해제할 방법을 찾을 때까지 놔두는 수밖에 없었다.

"그 친구가 걱정이구나. 그뿐만 아니라 후계자들도 찾을 수가 없으니……."

"둘째 공자가 빠져나왔다는 소문이 있으니 지금은 그걸 믿는 수밖에요."

"으음."

후작은 그 말에 침음을 흘릴 뿐이었다. 부정적이라는 뜻이다. 물론 직접 말을 꺼낸 에반도 메르딘 가문의 적자가 생존해 있을 가능성이 극히 희박하다는 것은 잘 알고 있었다.

비극이 일어난 그날, 셰어든과 펠라티까지 습격할 정도로 철두철미한 마족 놈들이 과연 메르딘 가문의 일원을 한 명이라도 놓쳤겠는가. 만약 놓쳤다면 여태까지 찾지 못한 것이 말이나 되겠는가.

'요마대전 시리즈에 나온 루덴의 묘사가 워낙 쩔어서 그 녀석이라면 혹시나 가능성이 있을지도 모르겠다고 생각했었는데.'

요마대전 시리즈에서 메르딘 던전은 셰어든과 펠라티에 비교하면 주목을 받지 못하는 곳이지만, 본편에 딱 한 번 등장한 루덴의 카리스마는 실로 강렬했다. 결정적으로 압도적인 능력치를 상징하듯 에반에 버금가는 미형이었으니!

형을 제치고 메르딘을 물려받은 것이 이해가 갈 만큼 본신의 능력도 지휘력도 대단했으며, 그가 있었기에 메르딘은 부와 번영을 누릴 수 있었다.

실제로 본편에서는 세어든과 펠라티가 동네북처럼 마족들한테 얻어터질 동안 메르딘만은 여유롭게 마족의 군대를 막아 내곤 했으니까. 그러고도 여유가 남아서 던전 기사단을 파병해 세어든과 펠라티를 구원할 정도였다.

'하지만 그가 아직 어려 충분한 능력을 갖추지 못한 시점에 이 일이 터져 버린 거야. 쯥……'

메르딘에는 루덴이 있으니 어지간한 변수가 생겨도 괜찮을 줄 알고 접촉을 하지 않았던 건데, 이렇게 될 줄 알았더라면 어떤 식으로든 손을 써 놨을 것이다. 아니, 그런다고 그날의 비극을 막아 내지는 못했겠지만…….

에반이 쓸쓸한 표정을 짓고 있자니, 후작은 마치 그의 속내를 읽어 내기라도 한 것처럼 그의 손을 잡아 토닥여 주며 말했다.

"그것을 생각하면…… 네가 세어든과 펠라티나마 구원한 것이 정말 다행이지."

"그런 말씀 마세요. 다 같이 노력한 결과일 뿐이니까."

"본래 막을 수 없을 터인 비극이었다. 그것을 막아 냈으니 조금 더 스스로를 자랑스러워해도 된단다, 에반."

후작은 안타까운 표정으로 에반을 바라보며 말을 이었다.

"그런데 네가 그러기는커녕 그날 이후로 스스로를 너무 몰아붙이기만 하는 것 같아 애비는 걱정이구나."

"이래 봬도 휴식은 제대로 취하고 있으니 걱정하지 마세요, 아버지. 그냥 할 수 있는 일들을 하고 있을 뿐이에요."

"그래, 그러면 다행이구나. 그래도 힘든 일이 있으면 언제든 상담하거라. 애비는 항상 네 편이라는 것을 잊지 말고."

"네, 아버지."

에반은 소라인 후작의 말에 살짝 눈물이 나오려는 것을 참았다. 역시 이 가족은 에반에게 너무 물러서 탈이다. 마냥 그를 걱정하고 편하게 풀어 주려고만 하니까.

다만 내외로 심한 압박을 받고 있는 지금의 에반에게는 가족의 이런 무른 태도가 딱 좋을 정도였다. 주위를 돌아보지 않고 달리느라 빠르게 소모되기만 하던 에너지가 채워지는 느낌이라고 해야 할까.

"힘든 일이 생기면 꼭 상담할게요, 아버지."

"오냐."

그로부터 일주일 후, 에반은 시니어조에 디오나를 더해 던전에 들어갔다.

1층을 끝내고 특별한 위험이 없는 것을 확인할 때마다 주니어조를 따라 전진시키면서, 빠르게 수색할 수 있는 구간을 모조리 탐색하고 파헤쳤다.

그들이 던전에서 나왔을 땐 이미 축제가 열리는 7월이 다가오고 있었다.

디오나는 31레벨이 되었다.

Chapter 49.
에반 디 세어든, 재회하다

　무척이나 더운 여름날이었다. 어스트레이 단원 중 수련이
부족해 아직 날씨에 영향을 받는 어린아이들은 훈련장에서 훈
련을 하는 내내 애처로운 눈으로 벨루아와 아리샤를 바라보
았다.

　에반은 쯧쯧 혀를 차며 그런 녀석들의 이마에 한 대씩 알밤
을 먹였다.

　"너흰 선배님들이 에어컨으로 보이냐?"

　"아얏! 죄송합니다! ……그런데 에어컨이 뭔가요, 단장님?"

　"지금 너희가 이 공간에 있었으면 하고 간절히 바라는 바로
그것. 루아와 아리샤에게 바라는 바로 그것."

　"아하! 있었으면 좋겠습니다, 에어컨!"

　"그거 진짜 좋겠는데요……."

에반이 외계어를 늘어놓는 것이 하루 이틀 일도 아닌 만큼 단원들도 진즉 그의 색다른 발상과 기묘한 아이디어들에 적응했는데, 그중에서도 이번에 꺼내 놓은 '에어컨'이라는 단어에는 모두가 긍정적인 반응을 보였다.

"온도를 관리하는 기구라니 최고잖습니까. 거기에 더해 습도까지 관리할 수 있다니, 만약 그런 도구를 만들어 낼 수 있다면 귀족이라면 누구나가 원할 겁니다. 솔직히 저도 원합니다."

에반이 에어컨의 개념에 대해 대충이나마 설명해 주자 샤인이 내놓은 대답이었다.

"외부 환경이나 온도에 영향을 받지 않는 건 정말로 극한의 수련을 거듭한 사람 정도지 않습니까. 고객을 귀족으로 한정해도 수요는 넘쳐 날 겁니다, 도련님. 거기에 우리라고 온도와 날씨에 아예 영향을 받지 않는 것도 아니잖습니까."

그건 그렇다. 에반도 한여름에 덥다는 느낌을 받기는 하니까. 단지 그것이 크게 불편하지 않아 에어컨이 절실하지는 않았는데, 샤인의 말을 듣고 보니 확실히 있으면 없는 것보다 더 쾌적할 것 같기는 했다.

"만들 수 있을까?"

"온도를 다루는 마도구라면 저도 도움이 될 것 같습니다, 도련님."

"바람을 다루는 마도구라면 나도 조금은."

흥미를 가졌는지 아리샤와 벨루아도 다가왔다. 에반은 잠시 생각하다가는 이내 고개를 끄덕이며 일어섰다.

"으음, 그럼 같이 가자. 크테아실의 도움을 받으면 정말 뭔가 그럴싸한 거 하나 만들어 낼 수 있을지도 모르지."

그런데 크테아실을 찾아가 얘기를 나누어 본 결과, 놀랍게도 그 자리에서 결과물을 만들어 낼 수 있었다.

이미 연금술의 끝을 엿보고 있는 에반과 과거 데빌 룬을 만들어 냈던 전적이 있는 발명가 크테아실, 거기에 각각 바람 마법과 온도 계열 마법의 전문가라고 볼 수 있는 아리샤와 벨루아의 조력이 더해지니 뭐 하나 막히는 일 없이 효율이 높은 에어컨을 만들어 낼 수 있었던 것이다.

"연비가 어마어마한데. 콩만 한 마석으로도 유지가 되다니."

"후, 오랜만에 좋은 발명을 했어. 한정된 공간의 온도를 조절한다는 발상은 대체 어떻게 해낸 거야, 에반 공자?"

"발상이라고 할까, 그냥 막연히 인지하고 있던 물건이기는 하다만……."

설마 당일 중으로 시제품을 만들어 낼 수 있을 줄은 몰랐던 에반은 당황한 표정으로 미니 에어컨을 매만졌다.

물론 현대 지구에서 생산되는 에어컨과는 구조가 크게 다를 테지만 어쨌든 그것과 같은 역할을 완벽하게 해내는 도구.

본래 지구의 문물을 이 세계에서 재현할 셈 따위는 없었는데, 순식간에 일이 이렇게 되니 조금 얼떨떨한 감이 없지 않았다.

'뭐 괜찮으려나. 현대 과학이 반영된 것도 아니고, 프레온을 냉매로 사용하는 게 아니니 이 세계의 오존층이 위협을 받을 일도 없고.'

이 기술이 세상에 무력적으로 영향을 끼치는 것도 아니라는 점도 크다.

그래도 무분별하게 현대의 발상을 현실화시켜 이 세상의 환경이나 질서를 어그러트리는 것도 내키지 않았기에, 앞으로는 스스로의 단속에 한층 신경을 써야겠다는 생각을 했다.

"알고는 있었지만 에반 공자는 지적인 수준이며 그 뛰어난 발상까지, 두뇌도 뛰어나구나. 음, 역시 매력적이야······."

"다른 남자를 마음에 둔 여자는 도련님께 접근할 수 없습니다. 물러서세요."

"실례잖아. 나도 아무 남자나 좋다는 게 아닌데."

하긴 우수한 남자를 보기만 하면 일단 침을 바르려 드는 다른 원로 마녀들에 비하면 디폴트와 에반에게만 포커스를 집중하고 있는 크테아실 정도면 양호한 편이긴 했지만 에반은 정중히 사양하고 싶었다.

"그런 의미에서 에반 공자, 오늘 저녁은 함께……."
"사양해 둘게, 크테아실. 난 나만 봐 주는 사람이 좋아."

물론 그것은 잊으려야 잊을 수 없는 게임 속 트라우마가 있기 때문이다.

"본인은 그렇게 많은 여자를 거느리고 있으면서? 실로 이기적이고 탐욕스럽네, 물론 그런 면도 나쁘지 않아……!"
"아, 응. 다음에 봐."

분명 거절했다고 생각했는데 어째선지 거친 콧김을 뿜어내며 만족스러워하는 크테아실을 놔두고 밖으로 나오자, 마침 샤인이 그를 향해 다가오고 있었다. 그의 얼굴에는 조금 당혹스러운 표정이 떠올라 있었다.

"샤인, 잘 왔어. 이거 메이벨한테 전달하고 판매 계획을 작성해 오라고…… 너 왜 그래?"
"도련님, 귀한 손님이 오셨습니다."

"버나드 할아버지 말하는 건 아니지?"

"그게 관련은 있다는 모양인데요……."

"뭐?"

에반의 물음에 대꾸를 하는 샤인의 표정이 실로 오묘했다. 새삼스레 에반을 위아래로 훑는 샤인의 모습을 보며 그도 살짝 혼란스러워지고 말았다. 이 녀석 왜 이러는 거야?

"왜 그래, 나 에반 맞아. 네 도련님."

"아니 저도 도련님을 의심하지는 않는데…… 도련님, 저랑 항상 같이 계셨죠?"

"너랑 만난 이후로는 거의 그렇지. 대체 뭔데 그래?"

"그럼 그분은 왜 그런……."

손님에 대한 설명은 안 하고 알 수 없는 소리만 계속 늘어놓는 샤인을 향해 아리샤와 벨루아가 싸늘한 시선을 보냈다. 뒤늦게 자신의 실책을 알아차린 샤인이 아차 하며 다급히 말했다.

"고대의 숲에서 오셨다는 엘프분입니다."

"그래서 귀한 손님이라고 한 거구나."

에반은 그제야 버나드의 편지를 떠올렸다. 분명 고대의 숲에서 무척 귀한 분을 모셔 온다고 했었지.

그런데 그 손님이 왔다면 버나드도 함께 왔어야 하는 것이 아닌가 싶어 샤인에게 설명을 요구했더니, 그도 거기까지는 잘 모르겠다는 듯이 고개를 갸웃했다.

"버나드 영감님 일행과 함께 출발하신 건 분명한데 그분이 먼저 도착하셨다고만 들었습니다. 일단 어스트레이 본부 2층 응접실로 모셨으니 바로 가시죠."

"잠깐만, 그런데 혹시 우리 아버지한테는……?"

"인간의 법도는 존중하지만 지킬 생각은 없다고 하시던데요. 자신은 도련님을 만나는 걸로 충분하다고."

"그건 존중을 안 하는 게 아닐까 싶은데."

에반은 어이없어하면서도 순순히 샤인을 따라 어스트레이 본부로 향했다.

한편 그와 함께하는 벨루아와 아리샤에게는 슬금슬금 불안감이 치솟고 있었다. 버나드의 편지를 받았을 때부터 생겨난 불안감이 지금 이 순간 정점을 돌파하고 있었다!

"샤인."

서로 눈치를 보던 끝에 결국 벨루아가 먼저 나섰다.

"여성이야?"

"응. ……벨루아, 대충 눈치챘지? 도련님을 알고 있는 눈치던데."

"에반, 너 개인적으로 알고 지내는 엘프도 있었니!?"

"일로인 이외에는 없는데!?"

끝내 폭발하고 마는 아리샤! 에반은 그녀의 박력에 기겁해 대꾸하며 본인 또한 의아함을 감출 수가 없었다.

엘프가 어디 흔한 존재던가? 절대 다수가 고대의 숲 안에 틀어박혀 조용한 삶을 살며, 긴 삶의 일부나마 인간 세상에서 보내는 이도 자신들이 노려지기 쉽다는 것을 알고 있는 만큼 결코 인간에게 스스로를 노출하지 않는다.

인간과 결혼까지 하고 셰어든에서 눌러살 작정을 한 일로인이 어디까지나 극히 드문 케이스인 것이다.

"그런데 나를 알고 있다고……?"

"예. 도련님이 워낙 능력이나 미모로 대륙적으로 소문이 나 있는 분이긴 하지만 엘프들까지 알고 있을 줄은 솔직히 몰랐습니다. 게다가 뭐랄까, 그냥 단순히 알고만 있는 게 아니라……."

샤인은 여전히 애매한 표정을 고수하고 있었다. 이 이상은 설명하기 힘들다는 표정인지라 에반도 더는 캐묻지 못했다. 마침 어스트레이 본부에 도착하기도 했다.

"좋아, 만나 보면 알겠지."

"아…… 안 만나면 안 될까?"

"아리샤 넌 내가 무슨 만나는 여자마다 꼬시는 줄 알아?"

"……."

기이하게도 아리샤는 그 부분에서 입을 다물어 버렸다. 시원스러운 부정의 말을 바라고 던진 말이었는데 어째서일까.

에반은 자신의 시선을 피하는 아리샤에게서 고개를 돌려 벨루아를 바라보았으나 그녀도 반응은 비슷했다.

"일단 전투 준비만은 해 놓겠습니다."

"글쎄 여우불 만들지 말라고."

에반은 한숨을 내쉬며 녀석들을 뒤로 물렸다. 아무래도 이 둘과 함께라면 정상적으로 손님을 대접할 수 없을 것 같았다.

"샤인, 너만 따라 들어와."

"알겠습니다."

그는 응접실 문을 노크했다. 그러자 안에서 분주하게 움직이는 소리가 나더니, 이내 문이 빼꼼 열리고 좁은 틈으로 디오나가 고개를 내밀었다. 그녀의 이마에 땀이 송골송골 맺힌 것이 보였다.

"오셨구나! 이 공간에 저랑 엘프를 둘만 놔두다니, 정말 긴장해서 죽는 줄 알았어요. 전 엘프라니 생전 처음 봤다고요……!"

"나도 갑자기 엘프가 찾아올 줄은 몰랐지. 아무튼 고생했어, 디오나. 넌 나가서 네 일 봐. 나랑 샤인이 접대할 테니까."

"네, 넵!"

버나드와 일로인이 던전 도시를 떠난 후에야 이곳에 정착한 디오나에게는 이번이 엘프와의 첫 만남이었던 모양이다.

그렇다는 건 역시 로이젠의 히든 스테이지의 숨겨진 보상으로 엘프 노예가 나온다는 소문은 소문에 불과했던 것일까.

에반은 그런 쓸데없는 생각과 함께 응접실 안에 들어섰다.

"……."

"……아."

그 안에서 에반을 기다리며 고요히 차를 마시고 있던 한 명의 엘프와 눈이 맞은 순간.

에반의 숨이 멈추었다.

"……과연, 그랬던 거로군요. 안녕하세요."

"웃……."

가장 먼저 눈에 들어온 것은 찬란하게 반짝이는 에메랄드

빛의 눈동자였다. 그것을 본 순간 자연스럽게 그녀의 정체를 알아차릴 수 있었다.

영롱한 비취색의 눈동자는 엘프 중에서도 가장 고귀한 신분을 상징하는 징표였으니까.

'이 여자가…… 이 여자가 왜 여기에 있는 거지?'

순금을 길고 가늘게 뽑아내 실로 자아낸 듯 반짝이는 아름다운 블론드, 부드럽게 일렁이는 머리카락 사이로 삐죽 튀어나온 길고 아름다운 이형의 귓바퀴.

유리로 빚은 듯 섬세하면서도 위태위태한, 기이한 매력을 자아내는 묘령의 절세가인.

고대의 숲에서도 가장 고귀하며 아름다운 엘프, 영원한 엘프의 공주…… 동시에, 요마대전 제로의 메인 히로인이기도 한 하이엘프 미로엘이 에반을 가만히 바라보고 있었다.

"날 알겠나요?"
"어, 어어……."
"도련님."

에반은 상황을 따라가지 못해 어버버하고 있었지만 뒤에서 들어온 샤인이 그의 등을 쿡 찔러 제정신을 차리게 했다. 그는 뒤늦게 태연을 가장하며 그녀의 말에 대꾸했다.

"네, 크흠. 물론이죠. 실례되는 모습을 보여 죄송합니다. 설마 하이엘프께서 직접 찾아와 주실 줄은 몰랐던 터라."

에반은 그 말과 함께 샤인에게 눈치를 주어 방문을 완전히 닫고 잠그게 했다.

딱히 그녀를 가두려는 의도가 아니라, 이 방 안에서 나누는 대화가 새어 나가지 않도록 문에 장치된 마도구를 작동시킨 것이다. 하이엘프가 셰어든에 와 있다는 사실을 다른 이들에게 들키면 썩 좋지 못한 일이 일어날 수 있으니까.

"존귀한 분을 만나게 되어 영광입니다. 에반 디 셰어든입니다."

"그런가요. 미로엘이에요."

미로엘은 그렇게 대꾸하곤 또 지그시 에반을 바라보았다. 투명한 비취색의 눈동자 속에서 뭐라고도 말할 수 없는 감정이 느껴졌다. 에반을 붙잡고 쉬이 놓아주지 않는 진한 감정이.

과연, 이렇게 되니 에반도 아까 샤인이 했던 말의 의미를 알 것 같았다. 지금 그녀는 도저히 처음 만나는 사람을 대하는 태도가 아니었던 것이다.

마치 오래전에 헤어진 친구, 혹은 연인과 재회하기라도 한 듯한 태도. 그렇기에 에반은 더더욱 어리둥절할 뿐이었다.

"죄송하지만 혹시 우리가 전에 만난 적이 있나요?"

"음, 아마도 아니요."

하이엘프는 잠시 고민하더니 그렇게 답했다. 그것만으로는 부족하다 여겼는지, 곧 한마디를 덧붙였다.

"하지만 아마 앞으로 만나게 될 것 같네요."

"……."

슬슬 이 정신이상자를 내쫓아도 될까? 그녀의 존재가 부담스러웠던 에반은 그런 생각을 떠올렸지만 역시 무리였다.

인간 세상의 국왕조차 에반의 눈치를 봐야 하는 시대가 왔지만, 하이엘프쯤 되면 또 얘기가 다른 것이다. 버나드의 말마따나 그녀는 정말로 귀한 존재, 귀한 손님이었다. 어째서 지금 그녀가 셰어든에 와 있는 것인지 이해가 가지 않을 만큼.

"에반이라고 했죠?"

"아, 네."

"부탁이 있어요. 갑작스럽겠지만, 꼭 들어줬으면 하는 부탁이에요."

어째설까, 그 말을 듣는 순간 아주 조금이지만 불길한 예감이 드는 것은. 견딜 수 없는 기시감이 그를 덮쳐 오는 것은!

그런데 에반이 뭐라 말을 꺼내기 전, 미로엘이 선수를 쳤다.

"당신을 기다리는 동안 던전 기사단이라는 단체에 대해 얘기를 들었어요."
"디오나, 이 자식……!"
"이곳에서 합숙하며 생활을 함께하는, 도시를 지키는 무력 단체라고."

기밀이랄 것도 없는 기초 정보를 누설한 디오나를 에반이 욕하는 와중 하이엘프가 뻔뻔하게도 말을 이었다.

"제가."

그 뒤에 튀어나온 말은 에반이 익히 예상할 수 있었던, 그럼에도 불구하고 실로 당돌하게 느껴지는 제안이었다.

"제가 그 기사단에 입단할 수 있을까요?"
"아니, 무슨……."

고대의 숲의 주인인 하이엘프가, 인간이 다스리는 도시에 와서, 분명 처음 만날 터인 에반을 살갑게 대하며, 끝내는 던전 기사단에까지 들어오고 싶다고?
문장을 구성하는 단어 하나하나가 어처구니가 없어 에반은 제 이마를 짚고 말았다. 그것을 부정적인 반응으로 해석한 것일까, 그녀는 보다 강한 의지를 내보이며 말했다.

"이래 봬도 전투력에는 자신이 있어요. 신용도 확실합니다."
"그야 하이엘프인데 어렵할까!"

그녀를 만난 순간부터 지금까지 꾹 눌러 참아 왔던 에반이 견디다 못해 화려하게 태클을 거는 순간이었다!
본능을 이기지 못해 태클을 건 직후 자신이 저지른 짓을 깨달은 에반이 핫, 기겁하며 제 입을 막았지만 미로엘은 그 모습을 보며 비로소 즐거운 웃음을 토해 내고 있었다.

"단장의 명에 잘 따를 자신도 있습니다. 받아 주실 수 있을까요?"
"혹시 제가 생각을 다시 해 보시라는 말씀을 드려도?"
"반드시 이곳에 들어오고 싶어요."
"그렇겠죠……."

하이엘프가 고대의 숲을 떠난 것만으로도 비상사태인데, 그 하이엘프가 인간이 만든 단체에 소속되겠다니.

"……미로엘 님의 신분도 문제입니다만, 우리 입장에서도 외부인을 그리 쉽게 받아들일 수는 없어서요. 아무래도 단원들과 얘기를 조금 해 봐야 할 것 같습니다만."

"후후…… 부디 잘 부탁드립니다, 단장님."

"아직 단장이 아닌데요."

에반은 어처구니가 없어 제 이마를 짚었지만, 다만 한 가지 확신할 수 있는 것은.

"아뇨, 분명 그렇게 될 거라고 믿고 있어요."

"……하아."

요마대전 제로 시절부터 정평이 나 있던 엘프 공주의 똥고 집을 꺾는 것은, 고대의 대마도사가 살아 돌아오지 않는 이상 은 불가능하다는 것이다.

✱ ✱ ✱

영원한 엘프의 공주로 칭송받는 하이엘프 미로엘이 난데없 이 던전 도시에 나타나 던전 기사단에 입단할 것을 선언하고 조금의 시간이 흘렀다.

에반은 자신 혼자 감당하기엔 너무나 벅찬 그녀의 존재를 두고 함께 고민해 줄 사람을 기다리며 그 시간을 버텨 냈다.

마주칠 때마다 물끄러미 그를 바라보며 무언으로 대답을 재촉하는 미로엘, 그리고 그와 미로엘 사이에 어떤 관계가 있나 추궁해 오는 여성 멤버들의 시선을 견뎌 내며!

구원자가 그를 찾아온 것은 미로엘이 던전 도시에 오고 정확히 이틀 후의 밤이었다.

"할아버지!"
"아이쿠!"

달빛이 희미해 그림자도 보이지 않는 깊은 밤, 던전 도시의 북문. 버나드와 일로인이 모습을 드러낸 순간 에반이 그들 앞에 나타났다.

그들은 최대한 소란이 일어나지 않게 몰래 들어오려고 했던 것 같지만 이미 멀리 떨어져 있는 사람의 마력 파장까지 구분해 낼 수 있게 된 에반마저 속일 수는 없었다.

"소리 지르지 마라, 이놈아. 귀찮은 일은 딱 질색이다."
"보고 싶었어요, 할아버지!"
"에잉, 다 큰 놈이 징그럽게…… 어어억!"

에반은 버나드를 끌어안고 그 자리에서 빙글빙글 돌았다. 에반의 무지막지한 완력에 저항하지 못해 버나드도 그를 따라 빙글빙글 돌았다. 딸을 품에 안은 채 일로인이 그런 둘의 모습을 즐거운 표정으로 바라보았다.

"오랜만입니다, 에반."

"안녕!"

"아, 오랜만이에요, 일로인. 그럼 이쪽이 에이르구나. 잘 부탁해."

"응! 잘 부탁해!"

에반은 그제야 버나드에게서 떨어져 나와 엘프 모녀에게 인사했다. 엘프는 인간에 비해 성장이 느리다고 들었는데 하프엘프는 다른 것일까? 아직 세 살도 되지 않았을 터인 아이가 에반의 말에 씩씩하게 대꾸하며 그에게로 한 팔을 뻗었다.

그는 손가락을 내밀어 아이의 손을 가볍게 잡고 흔들어 인사했다. 과연 일로인과 버나드의 딸답게 벌써부터 이목구비가 뚜렷하다. 다만 머리색과 눈동자는 모두 어머니를 따르듯 연녹색. 마력은…….

"……마기가 같이 느껴지는데?"

"그 부분에 대해선 내가 설명하지!"

아무것도 없던 공간에 뿅 하고 로즈가 나타났다. 조금 놀라웠다. 왜냐면 손바닥 사이즈였던 그녀가 지금은 완벽한 인간이 되어 있었기 때문이다. 무척 매력적인 젊은 여성의 모습이었지만 여전히 어딘가 맹해 보이는 것은 어째서일까.

"오랜만이다. 로즈 너 소원 성취했구나."

"에반, 내가 버나드와 영혼의 계약을 하며 그에게 나의 인자가 섞였다는 것은 너도 알고 있겠지!"

"어, 응."

에반의 인사를 쿨하게 씹어 버리며 로즈가 설명했다.

"그것이 그의 딸인 에이르에게도 이어져, 이 아이는 나면서부터 마나와 마기를 다룰 수 있었지. 즉 이 아이는 버나드와 일로인의 딸이면서 동시에 나의 딸이라고도 할 수 있는 것이다! 에이르는 마화족의 새로운 공주다!"

"마화족이 아니라니까요!"

이전부터 이런 얘기가 줄곧 있어 왔던 것이겠지, 일로인이 단단히 열받아 외쳤다.

그야 자신과 남편 사이에서 태어난 소중한 딸을 두고 다른 누가 자기 딸이라고 주장하면 열을 받는 것이 당연했다. 그러나 마족의 뒤틀린 사고방식을 아직 모두 떨쳐 내지 못한 로즈는 물론 그런 일로인의 감성을 이해할 생각도 없고…….

"같은 남편을 둔 사이에 괜찮지 않으냐? 에이르는 내 딸이기도 하다!"

"이 불여시가 진짜!"

일로인과 로즈가 그 자리에서 한판 뜰 것처럼 기세를 피워 내기 시작했다. 그러나 딸인 에이르는 이런 일이 익숙한지 그 저 즐거운 표정으로 박수를 치고 있을 뿐.

저 평범하지 않은 기질을 보고 있자니 어쩌면 로즈의 말이 마냥 틀리지만은 않았는지도 모르겠다며 에반이 멍한 표정을 짓고 있자니, 버나드가 푹푹 한숨을 내쉬며 일로인에게서 에 이르를 받아 안았다.

"뭐, 지금 보는 대로다. 대충 우리가 예상한 대로 되었다."

"그러게요."

"그래서 우리 딸 어떠냐. 진짜 예쁘지? 이대로 자라나면 절 세의 미인이 될 게다."

"네, 정말 예쁘네요. 매번 편지로 그렇게 말씀하실 만해요."

"나 예뻐!"

자기 칭찬하는 줄 귀신같이 알고 에이르가 활짝 웃었다. 엘 프를 상징하듯 귀가 무척 뾰족했다. 그는 그 귀를 조심스레 쓰 다듬어 주며 버나드에게 말했다.

"그래서 할아버지, 오시자마자 죄송하긴 한데 상담하고 싶 은 일이 있어요."

"미로엘 님 얘기라면 소용없을 테니 관둬라."

에반이 구체적인 얘기를 입에 꺼내 보기도 전에 대뜸 핵심을 짚은 버나드가 가차 없이 그의 말을 잘라 내며 고개를 절레절레 저었다.

"숲의 모든 엘프가 나서서 뜯어말렸지만 결국 안 됐으니까."
"……아."

에반의 입에서 한숨이 터져 나왔다. 사실 어느 정도 예상하고 있던 일이기도 했다. 하이엘프인 그녀가 멋대로 숲을 나올 수 있을 리가 없으니까. 이미 다른 엘프들도 모두 그녀의 행동에 대해 알고 있을 터다.

버나드는 그런 에반을 묘한 눈으로 바라보며 말했다.

"에반, 너 혹시 내가 모르는 사이 고대의 숲에 다녀온 적이라도 있느냐? 아니면 무슨 다른 수단으로 미로엘 님과 접촉한 적이라도 있는 게야?"
"그럴 리가 없잖아요. 저도 이번에 처음 만났다고요."
"그러면 대체 왜 그분이 그렇게나 네게 관심을 갖는단 말이냐."
"그러니까 그걸 저도……."

그건 에반이 묻고 싶은 말이었다. 그런데 그가 입을 열려던 바로 그 순간, 그 자리에 상쾌한 밤바람이 불어왔다.

그 안에 담긴 정령력을 느낀 에반은 조용히 입을 다물었다. 어느덧, 그들의 눈앞에 영원한 엘프의 공주 본인이 나타나 있었다.

"지금 당장 모든 것을 설명해 드릴 수는 없어요."

그녀가 입을 열어 말했다. 아마 이 자리에서 오간 얘기를 파악하고 있던 것이겠지, 그녀가 버나드에게 지그시 눈길을 주자 그가 움찔해 물러났다.

세계 최강의 연금술사마저 눈빛으로 물리치다니, 과연 하이엘프라며 속으로 감탄하는 에반을 향해 그녀가 돌아서며 재차 진지한 표정을 지어 보였다.

"다만 저는 어떻게든 당신의 기사단에 입단해야만 하겠습니다. 이들과 만나 얘기를 들었으니 아시겠지만, 숲의 엘프들과는 이미 얘기가 끝난 일이기도 해요."

"그러니 많고 많은 인간 귀족 중 한 명에 불과한 제가 엘프의 우두머리인 당신을 일개 기사단의 단원으로서 받아들여도 아무 문제도 없으리라는 얘기입니까?"

"예."

미로엘은 거침없이 그의 말에 긍정하며 말을 이었다.

"언젠가는 당신께 반드시 모든 것을 말씀해 드리겠습니다. 그러니…… 지금은 그저 받아 주실 수 없을까요."

"……좋아요, 그럼."

"어라."

그 시점에 이르러 에반이 순순히 고개를 끄덕이자 외려 본인이 놀란 것인지 미로엘이 큰 눈을 깜박였다.

그러나 기실 에반은 그녀가 자신의 뜻을 굽히지 않는 사람…… 엘프라는 사실을 잘 알고 있었고, 엘프들과 충돌의 여지만 없다면 강한 능력에 더불어 신뢰성까지 갖춘 그녀를 기사단에 받아들이지 않을 까닭이 없었다.

'단지 내가 요마대전 제로로 파악한 그녀라면 할 리가 없는 행동을 하고 있으니 신경 쓰였을 뿐인데…… 그동안 오랜 세월이 흐른 것도 사실이고, 이 세상은 게임이 아니기도 하고. 나의 미로엘은 이렇지 않다며 난동을 부리는 것도 이상한 일이지.'

본인 행동의 이유조차 그녀가 직접 언젠가 설명해 주겠다 했으니 지금은 그것으로 납득하기로 한 것이다.

"하이엘프는 거짓말을 하지 못한다는 사실을 알고 있으니까요. 미로엘 님께서 하신 말씀을 믿겠습니다."

"……고마워요. 받아 주시리라 믿었지만, 조금 불안했었는데."

침착한 듯 침착하지 않은 표정으로 에반의 말에 연신 고개를 끄덕이는 미로엘. 그 옆에서 일로인과 버나드는 하나같이 기이한 표정을 지으며 그런 미로엘을 바라보고 있었다.

"미로엘 님께서 인간의 말에 연연하시다니……."
"에반을 만나 봐야겠다고 숲을 뛰쳐나가실 때부터 대충 예상은 하고 있었지만."
"계집이 사내를 쫓는 이유가 하나밖에 더 있겠어? 대체 아까부터 다들 무슨 그리 빤한 얘기들을 늘어놓고 있는 건지 모르겠네."

한편 로즈는 이 야밤중에 한자리에 모여 촌극을 벌이는 사람들과는 한 발 떨어진 곳에 서서 냉소하더니, 마찬가지로 지금 무슨 일이 일어나는지 몰라 고개만 갸웃하고 있는 꼬마 엘프 에이르의 팔을 잡아끌었다.

"아가, 바람이 차니 우린 먼저 들어가 있자꾸나."
"웅!"
"아니, 기다려라, 로즈. 우리라고 여기서 뭐 더 할 일이 있겠느냐."

"그러면 먼저 실례하겠습니다, 미로엘 님. 에반, 내일부터는 잘 부탁해요."

"아앗, 할아버지! 일로인!"

튀었다! 기회는 이때다 싶었던 버나드와 일로인까지 순식간에 그 자리에서 사라지고 말았다!

졸지에 다시 하이엘프와 단둘이 남게 된 에반은 여전히 자신을 지그시 바라보고 있는 미로엘이 부담스러워 이리저리 고개를 틀었으나, 끝내 모든 것을 포기하고는 그녀와 마주했다.

"쓥…… 그러면 이렇게 되었으니 잘 부탁드립니다, 미로엘 님."

"단장님이시니 제게는 앞으로 반말을 해 주세요."

"아, 하긴 미로엘 님이 하이엘프라고 광고를 하고 다닐 셈이 아니라면 호칭은 바꿔야겠네요. 앞으로 님 자는 떼고 부를게요."

"……."

에반의 그 발언에 미로엘은 살짝 언짢은 표정을 지었으나 그는 알아차리지 못하고 말을 이었다.

"미로엘, 능력만 보면 응당 정기사로 임명을 해야겠지만 이제 막 도시에 들어왔을 뿐인 사람에게 정기사 자리를 줄 수는 없습니다. 그래서 어쩔 수 없이 견습 기사로 임명하려고 하는데, 괜찮을까요?"

"네, 그건 신경 쓰지 않아요."

그럴 줄 알았다. 엘프의 우두머리 지위를 버리고 나온 이가 무슨 감투에 관심이 있겠는가. 에반은 쓴웃음을 지으며 말을 이었다.

"견습이라고 해서 정말로 견습 대우를 할 수도 없고 하니, 능력에 따른 집중 교육이라는 구실로 행동 자체는 시니어조와 함께하게 될 겁니다. 시니어조라는 건⋯⋯."

"알고 있습니다. 이틀 동안 놀고만 있었던 것은 아니니까요. 앞으로 제가 머무를 곳에 대해서 공부하고 있었어요."

그래, 역시나 자신이 어스트레이에 받아들여지게 될 거라 단단히 믿고 있었다 그 말이렷다.

에반은 지극히 담담하게, 혹은 당당하게 그런 말을 늘어놓는 미로엘을 보며 한마디 해 주고 싶은 마음이 굴뚝같았지만 꾹 참았다.

오랜 세월을 살아온 하이엘프가 에반의 말 한두 마디로 교정될 리 없으니까.

"시니어조라면 단장님과도 함께 움직이는 셈이군요."

"네. 던전에 들어갈 땐 주로 저와 함께하게 되실 겁니다. 혹시나 해서 묻습니다만 던전에 들어가신 경험은……."

"없습니다. 함께 던전을 탐험하게 되다니, 두근거리네요."

에반에게 사람의 마음을 읽어 내는 재주는 없지만, 적어도 겉으로만 보자면 그녀는 지금 무척 기뻐하고 있는 것처럼 보였다.

에반은 그런 그녀의 모습에 점차로 혼란스러워져, 도저히 참을 수 없는 충동에 못 이겨 한마디 내뱉고 말았다.

"사랑했던 사람은 있나요?"

"예."

하이엘프가 단언했다. 이건 말해 줄 수 있는 사정이었던 모양이다. 에반은 그 말을 듣고 잠시 머뭇거리다가는 이내 거기에 한마디를 더했다.

"혹시 지금도 그 사람을 사랑하고 있나요?"

"예."

그녀는 재차 단언했다.

"제게 사랑은 오직 단 한 사람뿐입니다. 과거에도, 미래에도, 그리고 현재에도."

"······그런가요."

그녀의 대답을 듣는 순간 에반은 모든 근심과 걱정을 깔끔하게 내려놓았다. 그래, 그거면 된 것이다.

역시 그녀는 변하지 않았다. 요마대전 제로에 나온 영원한 공주 그대로다. 그는 한결 밝아진 표정으로 미로엘에게 손을 내밀었다.

"다시 한 번 잘 부탁해요, 미로엘. 역시 우린 좋은 친구가 될 수 있을 것 같네요."

"후후. 과연, 그렇네요."

미로엘은 에반의 말을 듣고 미묘한 웃음을 흘리더니, 그가 내민 손을 살며시 붙잡았다.

마치 금방 깨질 것 같은 유리잔을 붙들듯이 조심스레.

"저도 다시 한 번 잘 부탁해요. 에반 디 셰어든, 단장님."

결국 미로엘이 어스트레이의 새로운 단원으로 낙점되자 어스트레이 본부 내에서는 자그마한 소란이 일어났다.

그도 그럴 것이 미로엘이 하이엘프라는 사실을 모른다 해도 그녀는 지나치게 아름다웠고, 성숙했으며, 엘프였기 때문이다.

"하이엘프?"
"그래. 너희한테는 숨길 수 없을 것 같아서 미리 말해 두는 거야."

그런 가운데 에반은 시니어조만을 따로 불러 모아 미로엘의 정체에 대해 털어놓았다.
어차피 그녀와 함께 던전을 탐험하다 보면 미로엘이 지닌 하이엘프로서의 면모가 조금이나마 드러날 수밖에 없다 여겼기 때문이다.

"하이엘프씩이나 되는 존재가 대체 왜 우리 기사단에……?"
"잘 부탁해요, 아리샤 폰 펠라티."

하이엘프를 알아보지는 못해도 하이엘프가 어떤 존재인지는 알고 있는 아리샤는 납득할 수 없다는 표정을 지었지만, 미로엘은 그런 그녀에게 태연히 인사를 건넬 뿐이었다.

"아니, 그러니까 대체……."

아리샤의 혼란이 가중되었다. 아마 그녀도 에반과 비슷한 심정일 터였다.

"진정해, 아리샤. 그래 봐야 우리가 기사단에 들어온 이유랑 똑같은 거 아니겠어?"

그러나 그 상황에서 미로엘 못지않게 태연한 표정을 짓고 있는 이가 있었으니 바로 세레이나였다. 그녀는 테이블에 놓인 과자를 집어 오물거리며 부스러기가 묻은 손으로 에반을 가리켜 보였다.

"에반 오빠한테 반한 거겠지."
"아무리 에반이라도 그렇지 하이엘프를…… 끄응, 그래. 내가 잠시 에반의 가능성을 낮춰 보고 있었어, 인정할게."
"도련님이시니까요. 후우……."
"뭐냐, 너희 왜 그 말이 나오기만 기다렸다는 듯이 납득하냐? 그거 아니거든? 내가 이미 본인한테 확인 끝냈거든?"

세레이나의 말에 자신이 어리석었다는 듯 대꾸하는 아리샤보다 이미 알고 있었다는 듯이 어깨를 으쓱이며 한숨을 내쉬는 벨루아의 반응이 더 열 받았다. 확 뽀뽀해 버릴까 부다.

"후후…… 무척 화목한 분위기네요."

그러나 미로엘은 그녀들의 오해를 풀어 줄 생각이 없는지 웃음을 흘릴 뿐이었다.

에반은 그녀를 째려보았으나 이내 한숨을 쉬며 포기했다. 저 하이엘프의 머릿속에 뭐가 들어 있는지 알아보려던 시도는 이미 실패하지 않았던가.

"아무튼 그런 거 아니니까 다들 안심하고…… 그래서 기왕 이렇게 된 것, 이번 던전 축제가 시작하기 전에 미로엘과 함께 재차 던전에 들어갈 생각이야. 가볍게 50층까지만 들어갔다 오자."

"던전 축제가 열리기 전에 50층까지?"

"응."

지금은 이미 6월 말. 던전 축제가 열리기까지 앞으로 단 3주도 남지 않았다. 그런데 아직 던전에 한 번도 들어가 보지 않은 이를 데리고 50층까지 돌파하겠다니!

그 얘기를 다른 이들이 들었으면 코웃음을 쳤겠지만 정작 단원들은 태연히 그의 말에 고개를 끄덕이고 있었다.

"3주 정도면 어떻게든 가능하려나."

"디오나를 데리고 간다 치면 조금 힘들 수도 있겠는데, 아무래도 이번엔 빼야겠지?"

"그래도 저번에 보니까 전투 제법 잘하긴 하던데."

이전 디오나를 데리고 던전에 내려갔을 때 물론 이전에 비해 위험해진 던전 난이도를 실감하기는 했지만, 이미 3년 전에 던전의 심층에 도달했으며 그 이후로도 쉬지 않고 훈련해 수준을 끌어올린 에반 일행에게 50층 이하 던전은 가벼운 마음으로 산책할 수 있는 공원과도 같았다.

"더구나 미로엘은 엘프 중 가장 강하거든. 던전 레벨이 없는 지금 상황에서도 몬스터에게 당하는 일은 없을 거야. 즉 안 그래도 빠른 던전 탐색이 더 빨라질 거란 얘기지."

"그건 어스트레이 단원 입장에선 더할 나위 없이 반가운 소식이기는 합니다만……."

"크흠, 절 믿고 등을 맡겨 주세요."

상황을 감당하지 못해 막연히 그런 말을 흘리는 라이한에게 작은 두 주먹을 불끈 쥐어 보이며 주장하는 미로엘. 라이한은 흔쾌히 고개를 끄덕였다.

"믿겠습니다. 저희야 원래부터 에반 공자님만 믿고 따르던 사람들이니까요. 공자님께서 선택하셨다면, 저희도 당신을 의심하지 않습니다."

"그런가요. 그런가요."

라이한의 말 중에서 어떤 부분이 마음에 들었는지는 몰라도 미로엘의 표정이 더욱더 밝아졌다.

  에반에게 물들어 조금 비뚤어지긴 했지만 천성이 사람을 의심할 줄 모르는 라이한과 미로엘의 궁합은 제법 괜찮아 보였다. 에반은 내심 다행이라며 안도의 한숨을 내쉬곤 재차 입을 열었다.

  "앞으로 함께 던전을 탐험하게 될 테니 대략적인 능력은 파악하고 있어야겠지. 미로엘, 직접 얘기해 줄 수 있을까요?"
  "네. 그렇게 특별하지는 않습니다만."

  미로엘은 에반의 요청에 고개를 끄덕이고는 허공에 손을 내밀었다. 여태까지 아무것도 없던 공간에 바람이 줄기줄기 모여드는가 싶더니, 이내 그녀의 손 근처에서 하나의 커다란 장궁의 형태를 이루었다.

  "저의 고유 무장, 푸른 바람입니다. 이것을 활용한 궁술이 주특기예요. 무장의 효과로 인해 아군은 설령 이 화살에 맞는다 해도 다치지 않습니다."
  "……."
  "사대정령을 통한 정령술에도 취미가 있지만 아무래도 모든 속성을 동시에 다루기는 힘이 듭니다. 하지만 바람정령을 다루는 솜씨만은 누구에게도 밀리지 않는다는 자부심이 있어요."
  "……."

"그 외에는…… 그렇군요, 근접 전투의 소양은 없습니다만 제 몸을 지킬 호신술 정도는 익히고 있어요. 그러니 저를 보호하기 위해 특별히 신경을 쓰실 필요는 없을 거예요."

"……도련님?"

그즈음에 이르러 샤인이 간신히 목소리를 냈다. 에반이 멍하니 고개를 돌리자 그가 질문했다.

"고유 무장이라는 게 뭡니까?"

"이야, 설마 방금 이 일련의 설명을 듣고도 망설임 없이 그 부분을 질문해 올 줄은 몰랐는데."

"다른 부분은 그래도 다 제가 아는 얘기지 않습니까. 그러니 고유 무장에 대한 설명을 마저 듣고 총점을 매겨 볼까 해서."

언제나 솔직한 것이 샤인의 장점이다. 에반은 짙은 한숨과 함께 요마대전 제로만이 지니고 있던 시스템, 고유 무장에 대한 설명을 해 주었다.

"고대의 전사들은 중간계를 제 욕망으로 더럽히려 드는 무수히 많은, 그런 주제에 끔찍이도 강한 악마들과 맞서 싸우며 놈들을 이기기 위해 언제나 한계에 도전해야 했어."

"그거 제법 흥미로운 인트로네요."

"그리고 어떤 존재가 자신의 한계와 마주해, 그것을 뛰어넘어, 비로소 육신의 한계를 벗어나 혼의 힘을 다루기 시작했을 때 얻을 수 있는 게 바로 고유 무장이야. 자신의 혼을 무기의 형태로 빚어내는 셈인데 물론 혼만 있다고 되는 게 아니라 각종 마도구와 고대에 존재했던 기물, 귀한 약초, 아티팩트가 곁들여져야만 얻을 수 있지."

"즉 이분이 도련님도 도달하지 못한 영역에 이르렀다는 얘기네요!"

"그런 말도 안 되는 정보를 어떻게 알고 있는 거야, 에반!?"

"고유 무장이라니. 생전 처음 들었는데!"

에반의 설명을 듣고 끝내 그 자리에 있던 기사단원 전원이 화학작용을 일으켜 일제히 폭발했다! 에반이 난감한 표정으로 해설했다.

"지금 시대에 이르러선 고유 무장을 만들기 위한 재료 대다수가 소실되었기 때문에 새로 만들 방법은 없어. 그러니 그녀와 다른 이들을 일차원적으로 비교하는 건 불가능해."

"이젠 만드는 방법조차 없는 개사기 무기를 들고 있고, 궁술을 극한까지 익혔고, 사대정령을 모두 다 다루는 데다, 근접 전투 기술까지 익혔다고……."

"다시 말씀드리지만 호신술 수준이라 그리 강하진 않아요."

미로엘이 끼어들어 겸손하게 말했지만 그녀의 말을 곧이곧

대로 믿을 사람은 이 자리에 아무도 없었다.

그저 모두가 에반에게 한마음 한뜻으로 시선을 보내고 있었다. '대체 이 괴물 같은 여자를 어떻게 꼬셨냐'는 뜻이 담긴 시선이었다. 글쎄 안 꼬셨다고!

"그렇게 됐으니까 미로엘은 기본적으로 후방에서 전투를 하게 될 거야. 마법사인 루아와 함께 행동하면 되겠네."

"고유 무장……."

"한계 돌파……."

"내가 설명해 준 거긴 하지만 다들 슬슬 충격에서 벗어나지 그래."

신입 단원의 능력에 놀라 충격에 빠진 단원들을 보며 한숨을 내쉬는 에반. 사실 그는 이렇게 될 줄 대충 알고 있었다. 요마대전 제로 당시의 미로엘의 능력을 알고 있었으니까.

어찌 보면 다행이라고 해야 할까? 지난 세월 순조로이 실력을 늘려, 얼마 전 들어갔던 던전에서조차 아무런 저항도 없이 30층까지 쭉 돌파했던 그들이 아닌가.

'그런데 이런, 자칫 교만해지기 쉬운 타이밍에 적절하게도 절대적인 강자인 미로엘이 나타났지.'

지금은 그저 그 편린을 느꼈을 뿐이지만 아마 던전에 함께 들어가게 되면 보다 확실하게 깨닫게 되리라.

하늘 위에는 하늘이 있고, 아직 그들이 이르지 못한 정점이라는 것이 분명히 존재하고 있다는 사실을. 고대의 대마도사가 세상에 없는 지금, 단언컨대 미로엘은 절대적인 강자라 칭할 수 있는 존재였다.

'물론 평범한 인재라면 도달할 수 없는 벽이 나타났다며 좌절할지도 몰라. 하지만 우리 애들이라면……..'

에반은 미로엘의 말에 충격을 받고 혼미해져 정신 줄을 간신히 부여잡고 있는 시니어 조원들을 둘러보며 작게 미소 지었다.

여기에 있는 이들 모두 에반과 함께하겠다는 각오 하나로 여태껏 단련해 왔다. 평소 가장 나태한 것처럼 보이는 세레이나마저 자기 수련에 필사적으로 매달려 온 것이다. 에반은 그들 노력의 무게를 누구보다도 잘 이해하고 있었다.

"도련님, 던전에 들어가죠."

가장 먼저 말을 꺼낸 것은 다름 아닌 샤인이었다. 그는 미로엘의 손에 쥐여진 고유 무장, 푸른 바람을 지그시 노려보고 있었다.

"대체 얼마나 강한지 제 두 눈으로 직접 봐야 목표를 설정할 수 있을 것 아닙니까. 아니, 그 전에 일단 대련을 해 볼까요?"

"이런, 저는 제아무리 대련이라 할지라도 동료에게 무기를 향할 수는 없어서요. 미안해요."

"그럼 역시 던전에 들어갈 수밖에 없군요."

벨루아였다. 그녀는 그 짧은 기간 동안 또 여우불의 개수를 하나 늘려, 이젠 동시에 열여섯 개의 여우불을 다루고 있었다. 다만 실내에서 여우불을 만드는 것만은 자제해 줬으면 했다.

"새로운 동료의 전력을 빨리 파악하고 싶습니다. 합도 맞춰 보고 싶네요."

"후, 이젠 좀 여유로워질 줄 알았는데 설마 내부에 이런 폭탄이 나타날 줄이야. 뭐 됐어, 에반이니까. 역시 에반 곁에 있으면 재밌다니까."

오랜만에 듣는 말을 하며 아리샤도 기운을 차리고 일어섰다. 단지 미로엘을 적대하기라도 하는 듯한 눈초리가 조금 신경 쓰였지만 뭐 괜찮을 것이다. 아마 그녀는 미로엘과 에반의 관계에 대한 시답잖은 망상을 하고 있을 터였다.

"던전 도시가 보다 안전해지겠군요."

"네, 그래야죠."

다른 이들이 투지에 불타오르는 가운데 방패를 다루는 라이한만은 다소 여유를 유지하고 있었다. 에반은 그가 흐뭇하게 웃으며 하는 말에 피식 웃곤 고개를 끄덕였다.

"이해할 수 없는 일들이 연달아 일어나 조금 긴장하기는 했지만, 이젠 어지간한 변수로는 저를 놀라게 할 수 없을⋯⋯."
"도련님!"

그 순간 잠겨 있던 문이 벌컥 열리고 메이벨이 들어왔다.
대체 무슨 수로 잠금장치를 풀었느냐고 따질 겨를도 없이 두다다 달려온 메이벨이―그녀는 도중에 미로엘을 발견하곤 쳇, 노골적으로 혀를 찼다―에반의 옷소매를 붙잡고 외쳤다.

"중요한 손님이!"
"그거 바로 얼마 전에 겪었던 패턴인데."
"메르딘에서! 메르딘에서 오셨어요!"
"⋯⋯뭐?"

에반은 싸늘하게 얼어붙고 말았다.
메르딘, 3년 전 사태에 의해 통째로 결계 안에 갇힌 던전 도시.
그 도시에서 생존자가 찾아왔다는 것이다.

에반은 샤인과 벨루아만을 대동하여 곧장 후작저로 향했다. 그들을 인도하며 걷는 메이벨에게 자세한 사정을 요구했지만 그녀도 그 이상은 알지 못하는 듯했다. 다만 그녀가 알고 있는 것이 한 가지 있었으니.

"여성분이셨어요."
"여성? 이런, 난 또 후계자라도 탈출해 온 줄 알았는데."

한 줄기 기대감을 품고 있던 에반의 안색이 급격히 어두워졌다. 메르딘의 생존자가 왔다는 말에 에반은 영락없이 요마 대전 3에 등장하는 메르딘의 영주, 루덴 메르딘을 상상하고 있었던 것이다.

"인상착의는 어땠는데?"
"글쎄요, 체형은 딱 벨루아 정도였고…… 가슴은 벨루아보다 더 작지만요. 저보다도 작답니다. 아, 그래도 아리샤 님보다는 큰 것 같았는데."
"미안한데 그건 정말이지 전혀 중요하지 않아. 특징적인 요소만 골라서 말해 줘."

메이벨은 가슴 크기도 충분히 특징적인 요소라며 투덜거리면서도 순순히 뇌리에 떠오르는 정보를 순차적으로 내뱉었다.

"적갈색 머리칼에…… 그렇지, 눈이 검은색이었네요."

"끄응, 그건 메르딘 가문의 특징이 맞는데. 역시 가문에 속한 사람인가? 하지만 적갈색 머리칼에 검은색 눈이 귀한 것도 아니고."

적갈색 머리카락은 몰라도 검은색 눈동자가 그렇게 흔하지는 않다. 하지만 그것만으로 메르딘 가문에 속한 사람이라 추측하기엔 부족했다.

"아, 그리고…… 무지 예뻤어요. 모난 데 하나 없이 매끄럽지만 굳센 인상을 주는…… 그래, 마치 조각상 같은 미녀였어요."

"조각상."

에반은 그 말을 듣고 멈칫했다. 조각상이라는 말에 짚이는 구석이 있었다. 다만 그렇기에 더더욱 이해할 수 없는 부분이 있었으니…….

그 표현은 메르딘의 후계자, 루덴 메르딘에 대해 말할 때면 빠지지 않는 말이었기 때문이다.

"그런데 여자라니…… 정말 여자였어?"

"물론이죠, 완벽한 여자였어요. 아리샤 님보다 가슴이 크다니까요? 아, 도착했네요."

가벼운 혼란 상태에 빠진 에반을 놔두고 메이벨이 응접실
문 앞에 서 있던 기사에게 다가갔다. 기사가 가볍게 예를 표
하곤 내부에 에반의 방문을 알리자, 곧 안에서 들어오라는 목
소리가 났다.

"들어가겠습니다."
"에반, 너만 들어오너라. 손님이 안에 계시니 예의를 갖추고."
"네."

에반을 따르려던 샤인과 벨루아가 멈칫하며 살짝 인상을
찌푸렸지만 후작의 지시라면 어쩔 수 없다. 벨루아는 혹시나
안에 있는 인물이 에반에게 위해를 끼칠까 우려하여 그에게
보호 마법을 걸어 주었다.

"아."

안에 들어서자마자 손님의 뒤통수가 보였다. 그녀는 소파
에 앉아 있었는데, 메이벨의 말마따나 적갈색의 머리카락을
길게 기르고 있었다.

"오셨군요."

그가 들어온 것을 파악한 손님이 일어나 뒤돌아섰다. 에반을 보자마자 몸이 살짝 굳었지만 그건 에반을 처음 보는 이라면 누구나 그러니 이상한 일도 아니었다.

에반은 상대가 그러하듯 자신도 상대의 얼굴을 살폈다. 메이벨의 말마따나 조각상처럼 굳센 인상을 주는 미녀였는데, 굳이 표현을 덧붙이자면 사나움과 아리따움이 공존하고 있다는 느낌이 있었다.

그뿐인가? 에반은 이 얼굴을 본 기억이 있었다. ……게임에서 말이다.

"루, 루덴 메르딘?"

"하하…… 아주 어렸을 적 한 번 만났을 뿐이라던데 기억해주고 계셨네요."

지친 듯 나른한 여성의 목소리에는 어딘가 음울한 기색이 섞여 있었다. 이것으로 그녀가 여자라는 데에는 의심의 여지가 없게 되었다.

혹시 에반이 눈치채지 못한 변장 마법이나 변성 마법을 구사하고 있는 것이 아닐까 싶기도 했지만…… 아니, 아닐 것이다. 에반은 살짝 떨리는 목소리로 물었다.

"루덴 메르딘…… 본인이죠?"

"본인이에요. 어릴 적엔 남장을 하고 있었지만. 실제로 어

머니와 아버지를 제외한 모든 이가 저를 남자라고 믿고 있기
도 했고."

맙소사, 그렇다면 설마 게임에서도? 후작위를 계승한 그
시점에서도 실제로는 여자인 루덴 메르딘이 남장을 하고 있
었을 뿐이란 말인가?

"안 그래도 그 얘기를 하고 있었단다. 루덴, 처음부터 부탁
해도 될까?"
"예, 각하. 에반 공자도 부디, 바쁘지 않으시다면⋯⋯."
"⋯⋯후."

얘기가 길어질 것이라 직감한 에반은 후작에게 눈인사를
하곤 그의 옆에 나란히 앉았다. 루덴이 힘없이 웃곤 이야기를
시작했다.

"저는 1부인의 자식으로 태어났습니다. 당시 메르딘에는 후
계자인 실란을 낳은 2부인의 외척이 활개를 치고 있었고⋯⋯."

흔한 얘기였다. 메르딘 후작은 2부인이 낳은 아들인 실란
대신 1부인의 자식인 루덴에게 후작위를 물려주고 싶었지만,
여자의 몸으로는 한계가 있기에 어쩔 수 없이 어린 나이부터
철저히 남장을 하고 자라나게 했다.

그런데.

"에반 공자도 마화족 사태를 기억하실 겁니다. 셰어든의 조력으로 큰일이 일어나기 전 사태를 진압할 수 있었지만, 문제는 그당시 전염병으로 누워 계셨던 아버지를 대신해 진압을 주도한실란의 입김이 지나치게 거세졌다는 데에 있었습니다."

"……아."

과연. 마화족 사태는 요마대전 3 게임 속에서는 일어나지않은 일이다. 그 일로 인해 메르딘의 세력 구도가 뒤바뀌었다고 해도 얼마든지 납득할 수 있는 일이었다.

그래서 루덴이 장성해 실란과 경쟁을 해 볼 틈도 없이 밀려나게 된 것이고…….

"구도가 확고해져 남장을 할 필요도 없어졌지만 평생을 남자로 자라났기에 이제 와 여자로 돌아갈 수도 없는 노릇이었습니다. 저는 그렇게 제 삶의 목적도 잃고 그저 폐인처럼 성안에 갇혀 살았습니다. ……설마 그 덕분에 목숨을 건지게 될줄은 몰랐습니다만."

3년 전의 마족 대공습 당시, 메르딘에도 끔찍한 혼란이 일었다. 무시무시한 대역류, 마족군의 급습.

놈들은 메르딘 가문의 몰살을 목표로 움직였으며, 가문의 일원에 대한 정보도 모두 손에 넣고 있었다.

"하지만 제가 사실 여자라는 것은 그들도 모르고 있었던 모양입니다. 저는 어머니의 필사적인 도움 덕에 여자의 옷을 차려입고, 남자 루덴을 찾아 날뛰느라 느슨해진 포위망을 탈출해 간신히 메르딘을 벗어난 겁니다."

"……"

"적을 교란하기 위해 메르딘의 무수한 기사들이 목숨을 잃었습니다. 그들의 희생을 돌아볼 겨를도 없이 어떻게든 메르딘을 빠져나오고 나자 도시 전체에 결계가……"

"……그렇군요."

기왕이면 메르딘에 일어난 일들에 대한 보다 자세한 설명을 듣고 싶었지만 루덴 본인도 제 목숨 건사하기에 바빠 자세한 사정을 파악하고 있지 못한 모양이었다.

최소한 결계를 펼친 존재가 누구인지만이라도 확인하고 싶었던 에반의 입장으로선 무척 유감스러운 일이었으나 이미 끝난 일은 어쩔 수가 없다.

"그 후로는 살아남기 위한 발버둥이었습니다. 실란의 견제로 던전에 들어가 본 적도 없는지라 자라나며 익힌 기술 하나 믿고 움직여야 했는데……"

루덴의 이야기는 그 뒤로도 조금 더 이어졌다. 주로 지난 3년간 루덴이 세상을 유랑하며 겪은 고생에 대한 이야기였다.

　혹여나 자신의 정체를 들킬까 익숙하지도 않은 여자의 말투나 몸짓을 익히느라 고생했다는 얘기를 듣고 있자니 쓴웃음이 절로 나왔다.

　"어째서 다른 귀족에게 자신의 신분을 알리고 도움을 청할 생각은 하지 않은 건가요?"

　"제가 여자이기 때문입니다. 제가 실은 루덴 메르딘이라는 말을 순순히 믿어 줄지도 의문이었으며, 믿는다 해도 저를 이용하려는 이가 더 많았을 테죠. 베이페카는 그런 곳입니다. 셰어든 같지 않아요."

　"도시는 이미 둘러보셨나 보네요."

　"네. 애초에 그런 곳이라는 사실을 알고 왔으니까요."

　처음엔 메르딘에서 도망쳐야겠다는 생각밖에는 없었지만 여기저기 정처 없이 떠도는 중 셰어든으로 목적지를 정했다고. 그 이유는 명확했다.

　"이곳에 당신이 있었기 때문입니다."

　"저 말인가요?"

　"예."

    루덴은 그 부분에서 잠시 심호흡을 했다. 에반이 혹시나 하는 생각에 후작을 바라보니 역시나 그는 이미 대강의 사정을 들어 알고 있는지 흥미롭다는 표정을 짓고 있을 따름이었다.

"에반 디 셰어든 공자."
"네, 말씀하세요."
"저를…… 저를 제자로 받아 주세요!"

    이봐, 역시 또 이상한 일이 됐다.
    에반의 얼굴이 괴상하게 일그러지자 루덴이 다급히 말을 이었다.

"3년 전 대공습을 에반 공자가 주도하여 해결했다고 들었습니다. 본신의 능력이 어마어마할 뿐만 아니라 인재를 육성해 관리하는 데에 탁월한 능력을 지니셨다는 것을 잘 압니다."
"뭐…… 그렇기는 한데요……."

    타인의 입으로 들으니 이리도 부끄러울 수가 없다. 에반이 입맛만 다시고 있자니 루덴이 테이블 앞으로 얼굴을 내밀며 보다 강한 어조로 말했다.

"공자에게 가르침을 받고 싶습니다. 저를 전사로 만들어 주세요. 저는 어떤 마족과 싸워도 밀리지 않는 강자가 되어야만 합니다! 언젠가 반드시 메르딘을, 그곳을 되찾아야만 합니다……!"

"……."

에반은 그녀의 짧은 말 안에 담긴 울분과 각오를 느끼곤 침묵했다. 지쳐 금방이라도 스러질 것 같은 목소리 속에 숨은 은밀히 타오르는 증오의 불꽃을 지금이라면 읽어 낼 수 있었다.

그의 침묵을 어떻게 해석했는지 루덴이 다급히 말을 덧붙였다.

"제가 드릴 수 있는 것이라면 모두 드리겠습니다. 이 보잘것없는 몸뚱이라도 원하신다면 얼마든지……."

"우선 진정해요. 거절하겠다는 게 아니니까."

자신의 몸을 조금 더 소중히 여기라느니 하는 개뼈다귀 같은 소리는 지금 그녀에게 해 봤자 아무 의미가 없을 터다.

지금 루덴에게 있어 중요한 것은 메르딘을 되찾는 것, 혹은 자신의 인생을 망쳐 놓은 마족 놈들에 대한 복수뿐. 그 외에는 아무것도 중요하지 않은 것이다.

"아버지는 어떻게 생각하세요?"

거기서 에반은 일단 소라인 후작의 의견을 물었다. 후작은 기다리고 있던 것처럼 답했다.

"나는 찬성이란다. 친구의 자식이라면 응당 보호해야 하고, 이 아이를 보호하고 싶다면 에반, 네 곁에 두는 것만큼 안전한 곳은 없을 테니까."

"그게 아니라요."

"네게 무리가 가지 않는 선에서만이라도 좋으니 루덴을 키워 주렴. 애비도 부탁하마."

"……네."

그래, 역시나. 그럴 셈이 아니었다면 에반을 굳이 이 자리에 부르지도 않았겠지.

에반은 다시 고개를 돌려 루덴 메르딘과 마주했다. 역시 게임 속에 나오는 루덴과 완벽하게 같은 모습이었다.

다만 여성스러운 옷차림과 긴 머리카락을 더한 것만으로 이렇게까지 인상이 달라지는 것이 놀라울 따름. 하긴 원래 2D 미형 캐릭터들은 성별을 구분하기 어려운 경우가 대다수니까 납득할 수 없는 것만도……

'아니, 역시 혼란스러워, 젠장!'

강렬한 카리스마와 능력을 지니고 있던 루덴 메르딘이 살아 있는 것은 더할 나위 없이 반가운 일이지만 정작 그 루덴 메르딘이 실은 여자였다니, 더구나 그녀가 자신을 제자로 받아 달라고 하다니.

"역시…… 안 되는 건가요? 그렇다면 저는 더는……."
"아뇨, 아뇨. 글쎄 진정하라니까요."

에반이 자신을 거절한다면 혀 깨물고 죽어 버리기라도 할 것 같은 표정을 짓는 루덴의 모습에 그는 다급히 고개를 저었다.
지난 몇 년간 극한의 상황에 몰려 있었던 것은 알겠지만 정신 상태가 영 불안해 보이는 것이, 실로 세심한 케어가 필요해 보였다. 어쩌다 그 철혈의 후작이 이렇게까지 되었는지 놀라울 따름이다.

'바로 얼마 전에는 하이엘프가 오질 않나, 이번엔 루덴 메르딘인가. 이러다 요마대전 3 주인공까지 내 앞에 나타나는 거 아닌가 모르겠네.'

에반은 한숨을 쉬면서도 루덴을 향해 한 손을 내밀었다. 어두워져 가던 루덴의 안색이 순식간에 밝아졌다.

"받아 주시는 건가요!?"
"네, 뭐 어떻게 해야 할지는 차차 생각한다 치고…… 우선은 던전 기사단 견습 기사부터 시작해 볼까요."

"아…… 고맙습니다! 영광입니다, 스승님!"

"아니, 스승님이라는 표현은 관둬요."

그렇게 해서 어스트레이는 또다시 새로운 단원을 받아들이게 되었다. 어쩌다 보니 세 던전 도시의 둘째가 모두 한곳에 모이게 된 것이다.

* * *

에반이 가장 먼저 한 일은, 바로 메이벨에게 부탁해 루덴을 씻기는 것이었다.

지난 3년간 어디 제대로 발붙일 곳도 없이 이리저리 떠돌며 살아온 그녀는 하녀에게 시중을 받는 것도 어색해했지만 어찌어찌 씻고 옷을 갈아입었다.

"어…… 어떨까요, 스승님. 남자로 자라난지라 여자의 옷이 어울리지 않는다는 자각은 있습니다만."

"스승님이란 표현은 관두라니까요."

에반은 깔끔한 정복으로 몸을 감싼 루덴을 보며 살짝 난감해졌다. 여성복이 어울리지 않아서? 그럴 리가, 정반대였다.

이렇게 새삼 꾸미고 보니, 게임 속 루덴을 남자라고 생각했던 스스로가 바보라고 느껴질 만큼 그녀가 아름다웠기 때문이다.

'여태 용케 성별을 감췄네.'

그녀의 미려한 신체 라인을 선명하게 드러내는 붉은 벨벳 상의와 검은 가죽 스커트의 투피스는 루덴을 위해 만든 옷인 듯 딱 맞았다.

하녀들의 도움으로 다듬은 적갈색의 머리칼이 보기 좋게 물결치며 그녀의 어깨 어름을 장식하고 있어 실로 우아했다. 에반의 주위에 미녀가 득시글거리지 않았다면 제법 큰 충격을 받았을 것이다.

'하긴 루덴은 게임에서도 에반에 비견되는 미모로 유명했으니까 이렇게 되는 것도 당연하긴 한데.'

당장 에반만 해도 가발을 씌우고 스커트만 입혀 놓으면 누구나가 여자라고 착각할 것이다. 물론 그에게는 여장 취미가 없으므로 결코 그럴 생각은 없지만. 결코.

"메르딘에서 성별을 숨기고 자라났다는 게 믿기지 않을 만큼 잘 어울려요."

"감사, 합니다……."

에반 나름의 칭찬이었으나 루덴은 그 말에 복잡한 표정을 지었다.

어린 시절부터 남자로서 자라났으니 이제 와 여성복이 잘 어울린다는 얘기를 들어도 그 말에 순순히 기뻐하질 못하는 것이다.

짧은 순간 그녀의 얼굴에 스쳐 지나간 그 미묘한 감정을 캐치한 에반은 잠시 고민하다 그녀에게 물었다.

"⋯⋯혹시 남성복이 더 좋아요? 루덴, 당신이 있고 싶은 모습으로 있어도 좋습니다만."

"제가 있고 싶은 모습으로?"

"예. 여태까지야 마족의 추격이 두려워 여성복을 입었다 쳐도, 셰어든에서까지 그들을 두려워할 필요는 없으니까요. 놈들이 셰어든에 들어온다면 제가 고마울 따름이죠."

마족들은 3년 전 있었던 대공습에서 에반에게 완패하고 전멸했다. 루덴이 셰어든으로 들어온 이상 마족은 결코 그녀를 노리지 못한다. 노린다 해도 에반에게 붙잡혀 죽을 뿐이다.

"그, 이상하지 않은가요? 여자인데 남자 옷을 입는다니."

루덴은 에반의 말에 상상도 못 했다는 반응을 보였다. 하지만 두 눈을 휘둥그레 뜨는 루덴을 보며 에반은 그저 어깨를 으쓱여 보일 뿐이었다.

"뭐 어때요. 자신이 하고 싶은 대로 하면 되죠. 자유롭게 생각하고 행동해요. 그 결과를 스스로 책임지기만 하면 됩니다."
"무서운 말씀을 하시네요."

에반의 말에 루덴은 쓴웃음을 지으며 대꾸했다. 현대의 보편적인 논리를 얘기했을 뿐인데 무섭다는 반응이 돌아올 줄은 몰랐다.

"그렇지만 절 배려해 주고 계신다는 건 알겠어요. 고맙습니다, 스승님."
"절 끝까지 스승님이라고 부를 셈이군요."
"네. 그리고 말을 편히 해 주세요. 스승님께 존댓말을 들을수는 없으니까요."

강직하다고 해야 할까, 고집이 세다고 해야 할까. 에반은 자신을 똑바로 바라보는 루덴을 마주하며 속으로 나직이 한숨을 쉬곤 고개를 끄덕였다.

"에휴, 그럼 말을 놓을게."
"네, 스승님."

하긴 둘은 피차 고위 귀족의 신분, 다른 나라이긴 하나 던전 도시를 다스리는 명문가의 둘째라는 점에서도 비슷하다.

그런데 이렇듯 루덴이 에반에게 일방적으로 신세를 지게 되었으니 그녀도 마냥 편한 입장은 아닐 터.

차라리 이렇듯 확실하게 상하 관계를 형성하는 것이 그녀를 위해서 좋을지도 모른다.

"그래서 결국 어떻게 하고 싶어? 남장? 아니면 이대로?"

"조금 혹한 것은 사실이지만."

잠시 고민한 끝에 그녀는 이렇게 답했다.

"저는 여자니까요. 저라고 좋아서 남자로 살았던 것은 아닙니다. 제 삶은 거짓투성이였고, 설령 그것이 더 편하다 해도 이제 거짓은 싫어요. 그러니 이젠, 여자로서의 자신을 받아들이겠습니다."

"……그래."

아마 지금도 속으로는 제법 복잡한 생각을 하고 있겠지만, 어쨌든 그녀는 여자로서 살아가는 것을 골랐다.

에반은 그 이상 참견하지 않을 셈이었다. 그러나 그 결의는 곧 루덴 본인에 의해 무산되고 말았다.

"스승님."

"왜?"

"우리나라에서 루덴은 남자 이름이에요."

"그게 무슨…… 아, 그렇구나. 새로운 이름이 필요하겠네."

삶이 거짓투성이였다고 했나. 그녀가 버려야 할 것은 남자로서의 과거뿐만 아니라 이름까지도 포함되는 모양이다.

하지만 그 말을 어째서 자신에게? 고개를 갸웃하는 에반을 보며 그녀가 재차 말했다.

"스승님께서 지어 주셨으면 좋겠어요."

"네 새 이름을?"

"네."

"끄응, 이름을 말이지……."

또 제법 무거운 임무가 날아왔다. 물건도 아니고 사람 이름을 붙이는 일이라니.

그런 건 보다 그녀에게 있어 중요한 사람에게 부탁하라는 말이 반사적으로 튀어나올 뻔했지만 가까스로 직전에 멈추었다.

지금 이 도시에 그녀의 친인은 없다. 그나마 가깝다고 할 만한 사람은 후작 아니면 에반뿐. 그녀에게 큰 실례를 할 뻔한 것이다.

'앞으로는 더 신중하게 대하지 않으면…….'

그는 속으로 사죄의 말을 중얼거리며 다급히 루덴의 겉모습을 훑었다.

붉은 벨벳이 가장 먼저 눈에 들어왔다.

벨벳, 아니고. 레드, 아니고. 로쏘Rosso? 루즈Rouge? 단어 뜻은 그대로다. 그렇다면 차라리 조금 비틀어서…….

"루이즈Louise는 어떨까……?"
"루이즈라…… 괜찮은 것 같네요."

결국 에반의 입에서 튀어나온 말은 붉은 벨벳과는 한참 동떨어진 단어였다. 그래서 오히려 괜찮았다. 그녀도 만족한 것처럼 보였다.

"루이즈, 루이즈…… 응. 됐습니다."

몇 번인가 입안에서 루이즈라는 단어를 이리저리 굴려 보던 그녀는 이내 작게 웃으며 고개를 들었다.

"그럼 지금부턴 절 루이즈라고 불러 주세요."
"……너 정말 대단하구나."
"잘은 모르겠지만 칭찬해 주시니 감사합니다."

썩어도 준치라고 해야 할까, 아니면 그동안 힘든 일을 많이 겪어 단련된 덕분이라고 해야 할까.

이름을 버리고 새로운 이름을 받아들이는 것이 말처럼 쉬운 일은 아닐 텐데 루덴, 아니 루이즈의 적응력은 에반이 가히 상상하기 어려운 수준이었다.

지구에선 이런 녀석을 두고 강철멘탈이라고 불렀다.

"그럼 스승님, 지금부터 뭘 해야 할까요."

"일단은."

그는 재차 루이즈의 모습을 훑었다. 비극적인 과거와 고귀한 출신 성분을 다 제쳐 놓고 보면, 그의 눈앞에 있는 이는 지극히 가련하고 아름다운 한 명의 소녀일 따름이었다.

그렇기에 문제가 된다. 문제가 되겠지만…… 그렇다고 앞으로 일어날 일로부터 도망칠 수는 없는 노릇이었다. 사실 도망칠 방법도 없다.

"일단은 셰어든의 던전 기사단, 어스트레이의 단원들을 소개시켜 줄게. ……다들 반겨 줄 거야. 아마."

"던전 기사단이라면 모두 스승님께서 직접 길러 낸 인재들이죠? 얘기는 들어 본 적이 있습니다. 무척 기대되네요."

에반은 방금 거짓말을 했다. 결코 단원들이 그녀를 반기지 않으리라는 확신이 있었으니까.

그러나 새로운 이름으로 맞이하게 될 새로운 환경에 미약한 기대감을 품으며 눈을 빛내는 자신의 새로운 제자에게 차마 솔직히 얘기해 줄 수는 없어, 그는 그저 애매한 미소를 지어 보일 따름이었다.

❈ ❈ ❈

"그래서 우리 어스트레이에 견습 기사가 한 명 늘게 되었습니다. 모두 박수로 맞이해 주세요."

"루덴 메르딘이라는 이름을 쓴 적이 있습니다만, 지금 쓰는 이름은 루이즈입니다. 잘 부탁드려요."

"아⋯⋯."

"루이즈라고⋯⋯."

에반의 예상대로, 그가 루이즈를 데리고 돌아오자 어스트레이 본부에는 싸늘한 바람이 불었다.

루이즈가 애써 어색한 미소까지 지어 가며 고개를 숙였음에도 분위기가 그리 좋지 않았다.

"또 여자인가요⋯⋯."

"에반, 슬슬 자제하지? 정말 내가 밤중에 네 침실로 쳐들어가야만 하겠어?"

"아리샤는 벨루아가 오빠 침실에 설치한 방어 마법을 뚫지도 못하면서."

"그, 그건 세레이나 너도 마찬가지잖아!"

"다들 조용히 좀 해 봐."

마치 이 자리에 아무도 없는 것처럼 평소의 말다툼을 재개하는 아리샤와 세레이나. 그 모습에 작게 한숨을 내쉰 에반이 박수를 쳐 모두를 조용히 시켰다.

"사정은 이미 설명했잖아? 다들 진정해. 내가 꼬신 것도 아니고, 루이즈가 억지로 들어온 것도 아냐. 심지어 사제 관계를 맺기로 했다니까."

"에반, 누구에게나 사정은 있어. 하지만 결과는 언제나 같았단 말이야."

"어쩌면 에반 오빠가 지난 3년간 내내 각오하라고 했던 건 던전 개방이 아니라 앞으로 새로 꼬여 들 여자에 대한 얘기가 아니었을까?"

"예에……?"

단원들의 일관된 반응에 에반이 한숨만 푹푹 내쉬는 가운데, 루이즈는 대체 무슨 일이 일어나고 있는 것인지 이해할 수 없어 고개를 갸웃하고 있었다.

"후훗, 이곳은 언제나 활기찬 곳이네요."

"이걸 활기라는 단어 한마디로 정리해 버리는 것도 참 대단하네요."

한편 루이즈보다 하루 먼저 어스트레이에 합류한 신입 단원 미로엘은 그저 즐거운 듯 희미한 미소를 입가에 매단 채 그 난리통을 지켜보고 있을 뿐.

에반은 그런 미로엘의 반응에 고개를 절레절레 저으며 재차 입을 열어 단원들을 조용히 시켰다.

"누누이 말하건대 나와 루이즈는 사제 관계일 뿐이니까 안심해. 그런 의미에서 당분간은 모든 스케줄을 최소로 하고 루이즈를 교육하는 데에 집중할 예정이야."

"던전엔?"

"그다음에 들어가는 거지. 루이즈와 미로엘과 함께."

"아하."

원래는 축제 전까지 미로엘과 함께 던전을 50층까지 탐사하는 게 목표였지만 루이즈까지 합류한 이상 그럴 수는 없게 되었다.

우선은 루이즈의 현재 실력을 파악하고, 되는대로 그녀가 익혀야 할 기술들을 익히고 기본기를 다지게 한 후에 함께 던전에 들어가려는 것이다. 그 시기는 아무리 일러도 던전 축제 이후가 될 것이다.

"그럼 역시 디오나는 빠지게 되겠네."

"이 자리에서 확실하게 말씀드리겠습니다만 전 전혀 아쉽지 않으니까요! 저번에 31층까지 내려갔다 왔을 때도 죽는 줄 알았어요!"

세레이나가 아쉬워하며 하는 말에 에반의 시중을 들기 위해 뒤에서 대기하고 있던 디오나가 기겁하며 외쳤다.

그녀는 뛰어난 도박사이며 동시에 훌륭한 능력을 갖춘 전사이기도 하지만 던전 기사단의 다른 면면과는 근본적으로 달랐다. 그녀에게는 이 괴물들과 발맞추어 던전을 정복할 재주도 근성도 없었다.

"가능하면 저는 나중에 조금 더 천천히 진도를 빼고 싶어요. 그땐 부탁드릴게요."

"31층……? 지금, 시녀가 던전 31층에 내려갔다고?"

그들이 하는 얘기를 가만히 듣고만 있던 루이즈였으나 그 부분에 이르러 기어코 태클을 걸고야 말았다.

"예, 에반 공자님이 이끄시는 대로만 따르면 그 정도야 뭐."

"30층까지는 던전 저층이잖아? 에반의 인도를 받으면 그 정돈 셰어든의 병사라도 해낼 수 있어."

디오나가 태연히 고개를 끄덕이며 말하는 옆에서 아리샤가
별것 아니라는 듯이 거들었다.
사실 셰어든의 병사들이 특별히 강하기 때문에 가능한 일
이긴 했지만, 그것을 모르는 루이즈는 감탄할 수밖에 없었다.

"……스승님은 대체."
"와, 쟤 에반 오빠를 스승님이라고 불러."
"아무래도 그 관계성이 신경 쓰이는데."
"혹시 제자 행세를 하면서 단장님께 작업을 걸려는 건 아니
겠죠……?"

그때였다. 여기저기서 여성 단원들의 소곤거리는 목소리가
들려오자 루이즈의 표정이 애매해졌다.
아깐 워낙 당황하여 그냥 넘겼지만, 이쯤 되면 아무리 눈치
가 없어도 상황을 파악하기 그리 어렵지 않았다.

"그…… 대단하시네요, 스승님."
"미안, 그런 눈으로 보지 말아 줘. 내가 나쁜 놈이란 건 알
고 있으니까……."

루이즈는 스승으로 삼기로 한 사람에게 빠르게도 환멸을

느꼈지만 그 이상으로 그의 놀라운 능력에 대해 잘 알게 되었기에 자신의 말을 무르지는 않았다.

그날은 루이즈의 방을 배정하고—견습 기사이기에 물론 3층이었다—어스트레이의 기본 지침을 가르치는 수준에서 하루를 마쳤다.

진정한 교육이 시작된 것은 그다음 날부터였다.

Chapter 50.

에반 디 세어든, 조우하다

  루이즈가 어스트레이에 입단한 다음 날의 이른 오전, 에반
은 지하 수련장에 그녀를 불러냈다.

  그녀의 사이즈를 측정해 준비한 단색의 훈련복을 차려입었
음에도 새어 나오는 품격을 감출 길이 없다. 움직이는 데 방
해가 되지 않도록 풍성한 머리를 뒤로 모아 묶는 모습이 실로
미려했다.

  "아, 이제 시작하나 봐."
  "단장님이 직접 봐 주시는 거야?"
  "그런 약속이었대. 부럽다."

  다른 단원들이 에반의 1대1 교습을 받는다며 루이즈를 부
러운 눈으로 응시하고 있었기에, 그녀도 에반이 이 기사단 내

에서 어떤 입지를 갖고 있는지 슬슬 파악할 수 있었다.

에반은 기사단장이면서 동시에 기사단의 아이돌이었던 것이다! 남녀 가리지 않고 모두가 에반의 광팬이었다!

"여태까진 어떤 무기술을 익혔어?"

아이돌, 에반이 물어 왔다. 루이즈는 다른 단원들의 시선을 애써 무시하며 새로 모시게 된 동갑내기 스승에게 답했다.

"제 적성은 한손 검입니다. 검이라면 대부분 다룰 수 있지만 그중에서도 한손 검, 롱소드나 브로드소드 등의 직검이 잘 맞습니다."

"음."

다행히도 제 적성은 잘 알고 있었던 모양이다. 게임 속 루덴도 어김없이 한손 검을 다루고 있었으니까. 다만 수정해야 할 부분이 존재하기는 했다.

"직검 중에서도 적성 수준이 갈리기는 할 거야. 다양하게 준비해 봤으니 한 번씩 잡아 보도록."

"아, 네!"

에반은 수련자의 적성을 귀신같이 파악하고 그에 가장 걸

맞은 수련 방법을 교육하기로 명성 높은 교관이다.

여태껏 한손 검에서 한 단계 나아가 직검까지 자신의 적성을 파악하고 있던 루이즈였으나 설마 거기서 더 나아간 적성 구분이 있을지는 상상도 하지 못했기에, 그의 말에 솔직히 놀라지 않을 수 없었다.

'하지만 스승님께서 하신 말씀이니⋯⋯.'

어느덧 눈앞에 놓인 여러 종류의 직검을 번갈아 둘러보던 루이즈는 곧 손을 뻗어 무기를 차례대로 한 번씩 손에 쥐어 보았다.

처음엔 무엇을 쥐든 전부 손에 착 달라붙는 느낌밖에 받지 못한 그녀였으나, 에반의 시선을 받으며 몸에 긴장이 들어가다 보니 점차로 감각이 예민해졌다.

그 결과, 다른 무기를 쥐었을 때에 비해 유독 강하게 심장을 울리는 무기를 찾아내는 데 성공했다. 다만 그 결과가 조금 아쉬웠으니.

"숏소드⋯⋯."
"음, 역시 그렇구나."

숏소드는 가볍고 날이 짧은 검이다. 가벼운 만큼 휘두르기도 쉽지만 위력은 다소 약한 면이 있다. 사실 돈이 많고 실력이 좋은 검사들은 잘 쓰지 않는 무기이기도 했다.

자신의 적성에 내심 실망하는 루이즈의 모습에 에반은 작게 웃곤 말했다.

"그럼 이제 방패를 들어 볼까."

"……예?"

"뭘 놀라? 한손 무기 적성이잖아. 그렇다면 당연히 나머지 한쪽에 다른 무언가를 들 가능성을 고려해야 하는 거 아냐?"

"아니, 하지만 그건…… 큼. 들어 보겠습니다."

루이즈는 한 번도 방패를 들어 본 경험이 없었다. 방패술은 병사와 기사만이 익히는 것이라 굳게 여기고 있었으니까.

그러나 그것은 어디까지나 귀족으로서 품고 있던 고정관념에 불과할 뿐이고, 루이즈 본인도 지금은 던전 기사단에 속해 있는 몸. 더는 가릴 것이 없었다.

"이럴 수가……."

그리고 에반의 말에 순순히 그가 준비한 방패를 받아 든 순간, 루이즈는 대체 어떻게 여태껏 자신이 이것을 모르고 있을 수 있었던 것인지 의아해졌다.

방패로부터 강렬하게 느껴지는 이 일체감은 의심할 여지없는 적성의 증거. 그녀는 한손 검과 동시에 방패에도 탁월한 적성을 띠고 있던 것이다!

"운 좋은 줄 알아. 원래 한손 무기를 드는 사람들은 적성이 없어도 방패를 들게 마련인데, 넌 두 가지 적성을 함께 갖고 있으니까. ……그것도 아마 최상위 적성을. 그렇지?"
"예, 스승님. 스승님께선 혹시 이것을 꿰뚫어 보시고……?"
"아니, 그건 아니고."

동갑내기 처녀에게 스승님 소리를 계속 듣고 있자니 속이 거북해진다. 에반은 속으로만 한숨을 쉬며 대꾸했다.

"어떻게 사람의 적성을 예상하겠어? 적성이 없어도 가르칠 예정이었는데 얼어걸렸을 뿐이야."
"그, 그렇군요."
"무구도 확정되었으니 지금부턴 제대로 수련에 돌입해 볼까. 우선은 숏소드부터."
"예, 옙!"

드디어 루이즈가 기다리고 기다리던 수련이 시작되었다. 모든 이의 적성을 터무니없이 빠른 속도로 숙련하게 도와주는 에반만의 특별 수련법!

"그러면……."

에반은 루이즈로부터 받아 든 숏소드를 쥐고 자세를 취했다. 자신을 뚫어져라 바라보는 루이즈의 시선을 느끼면서도 거침없이 몸을 움직였다.

우선 앞으로 나아가며 전방에 검을 찌르고, 백스텝하며 검을 역수로 고쳐 쥐고 뒤로 내지른다.

그 자세에서 한 발을 앞으로 내디디며 검을 역수로 쥔 채 그대로 올려친다. 그 기세를 싣고 무릎을 굽혔다 펴며 점프해, 허공에 재차 출수! 하늘을 찌를 기세로!

"그리고 착지. 이걸로 끝이야. 이 일련의 동작을 하나로 묶어 지룡승천이라고도 하지."

"끝? 끝이라고요?"

"응."

"대체 뭐가 끝이라는 거죠……?"

에반은 실로 상쾌한 표정을 짓고 있었지만 루이즈는 대체 뭐가 시작되어 뭐가 끝난 것인지 당최 이해할 수가 없었다.

제법 그럴듯한 모습이긴 했지만 까놓고 말해 영문 모를 춤 사위에 불과하지 않은가!

"그…… 스승님? 대체?"

"다 봤지?"

"보긴 다 봤는데요……."

"좋아, 그럼 따라 해."

"……네?"

상황을 미처 파악하지 못한 루이즈가 반문했다. 거기서 그녀의 혼란을 가중시키는 이들이 있었으니 바로 에반의 시연이 끝나자마자 박수 치며 환호하는 다른 단원들이었다.

"단장님 너무 멋있어!"

"한 번만 더 보여 주세요, 단장님!"

"이야, 한손 검은 저렇게 하는 거구나. 혹시 숏소드 특화 수련법인가? 처음 쌍단검 배울 때 생각나네."

"대체 뭐가 어떻게 된……."

이건 어쩌면 이 기사단만의 약속된 의식일까? 어리둥절해하면서도 루이즈는 그 이상 토를 달지 않았다.

아무리 이해할 수 없는 일이라도 스승으로 섬기기로 한 에반이 시킨 일. 순순히 따라야만 했다.

"이렇게…… 합! 하압!"

"오, 역시 재능이 탁월하네."

그녀는 어렵지 않게 에반이 했던 것과 같은 자세로 검을 휘둘렀다. 역시 요마대전 3 최강의 카리스마를 자랑하는 메르딘 후작의 재능은 어디 가지 않은 것이다.

"어때?"

에반이 시연한 동작을 완벽히 마치고 검을 거두어 다시 기수식을 취하는 루이즈에게 에반이 물었다. 그녀는 그 말에 대체 무어라 대답해야 할지 잠시 고민해야만 했다.

"그…… 실용적인 움직임은 아닌 것 같습니다."
"그건 그리 중요하지 않아. 중요한 건 네 검술이 얼마나 성장했느냐야."
"네…… 네?"

아직 믿음이 부족하군. 에반은 작게 웃곤 말했다.

"오전 동안은 내내 그것만 반복하도록 해. 지치면 회복시켜 줄 테니까 안심하고."
"이 동작을 반복해서…… 큽, 알겠습니다!"

루이즈는 그 말에 잠시 아연해했으나, 이내 굳은 표정으로 고개를 끄덕였다. 아마 에반이 자신의 근성을 테스트하려 한다는 오해를 하고 있는 모양이었다.

"합! ……합!"

에반은 단단히 각오한 표정으로 몸을 놀리는 루이즈에게
지금 그녀가 숏소드 수련의 왕도 지룡승천을 실시하고 있다
는 사실에 대해 제대로 알려 줄까 고민했지만 그만두었다.

어차피 스스로도 곧 깨닫게 될 것이다. 본인의 검술이 터무
니없는 속도로 성장하고 있다는 사실을.

"……음? 그럴 리가, 아니, 다시."

아니, 한두 번 해 보더니 벌써 뭔가 이상하다는 것을 감지
한 모양이다. 루이즈의 표정이 점차로 기묘해지고 있었다.

역시 그녀의 재능에는 의심의 여지가 없다! 에반은 만족스
레 웃으며 그것을 지켜보았다.

그런데 그녀를 감독하며 슬라임 수련을 하려던 바로 그때
누군가가 그에게 다가오는 것이 느껴져 고개를 드니, 눈앞에
하이엘프 미로엘이 있었다.

"단장님, 제게는 가르쳐 주실 것이 없나요?"
"……미로엘?"
"저도 견습 기사이지 않나요. 과한 걸 요구할 생각은 없지
만 저도 그녀와 동등한 대우를 받고 싶어요. 그러니 제게도 가
르침을 주세요."

미로엘이 입술에 침도 안 바르고 줄줄이 늘어놓는 말에, 에반은 어이가 없어 대꾸했다.

"제가 당신에게 대체 뭘 가르쳐 줄 수 있겠어요? 궁술이든 정령술이든, 하다못해 고유 무장에 대해서도 모두 당신이 더 잘 알고 있을 텐데요."

"그래도 혹시 단장님이 제가 알고 있는 것과는 다른 수련법을 알고 있을지도 모르잖아요. 자, 어서."

"……알겠습니다, 그럼."

이미 그녀의 궁술이 극에 이른 것을 모르는 이가 없는데 뻔뻔하게도 그런 말을 하다니.

에반은 기가 차서 한숨을 쉬면서도 순순히 그녀가 내민 활을 받아 들었다. 그리고 다음 순간 고개를 갸웃했다.

"어라? 이 수련에 화살이 필요 없다는 얘기를 제가 했던가요?"

"화살이 필요 없는 수련인가요?"

"아, 네. 하긴 미로엘은 원래 바람의 화살을 다루니 화살을 안 갖고 다니겠구나."

에반은 활을 쥐고 자세를 취했다. 미로엘이 눈을 반짝이며 그를 똑바로 바라보았다. 어째선지 이 수련에 대해 에반 다음으로 잘 알고 있을 진마저도 어느덧 다가와 지켜보고 있었다.

"진짜 내가 궁수들 앞에서 뭔 짓을 하는지 모르겠네……
에잇."

에반은 그 자리에서 활을 냅다 허공으로 던졌다. 그리고 가
볍게 바닥을 박차고 점프하여 활을 쥔다!
그 후 다시 활을 바닥에 내던져, 그것이 땅에 닿기 전 먼저
착지하여 활을 회수한다. 그리고 빙글 돌아서며 활을 크게 휘
둘렀다.
대체 뭐가 궁술이라는 것인지 영문을 알 수가 없는 동작이
었다.

"자, 여기까지가 한 동작. 호랑이사냥입니다."
"오랜만에 봐도 훌륭한 시연입니다, 단장님!"

진이 진심으로 감격해 박수를 치고 있었다. 한시라도 빨리
저 녀석의 신앙을 어떻게든 해결하지 않으면 안 되겠다고 생
각하는데, 그 옆에서 미로엘 또한 웃는 얼굴로 박수를 치고 있
었다.

"멋져요."
"하이엘프는 거짓말을 할 수 없다는 건 거짓말이었구나."

"거짓말이 아녜요. 정말로 멋져요."

그녀의 투명한 비취색 눈동자가 에반을 똑바로 응시하고
있었다. 진심으로 방금 에반의 시연이 멋지다고 생각하는 모
양이었다.

에반은 뻘쯤해져 더 뭐라 하지도 못하고 순순히 그녀에게
활을 내밀었다.

"믿기 힘들겠지만 궁술 수련을 빠르게 해 주는 동작입니다.
……한 번 해 볼래요?"

"네. 지켜봐 주세요."

기다렸다는 듯 활을 받아 든 미로엘이 지체하지 않고 그 자
리에서 '호랑이사냥'을 따라 했다.

활을 던지고, 뛰어올라 그것을 쥐고, 재차 바닥으로 던져
그것을 잡은 후 턴하며 활대로 후려치기까지 유려한 동작이
이어졌다.

"후…… 어떤가요?"

"어떠냐니. 저 대신 궁술 교관 해도 되겠는데요. 처음 했다
고는 믿을 수 없을 만큼 완벽한 동작이었어요."

"그런가요. 그렇군요."

에반의 칭찬에 미로엘이 더없이 뿌듯한 표정을 지으며 고개를 끄덕였다. 이까짓 동작이 뭐라고, 정말로 순수하게 기뻐하는 그녀의 모습에 에반이 외려 당혹스러워했다.

"정령술과 고유 무장에 대해서도 알고 계신가요?"
"그야 어느 정도 알고 있긴 한데, 당신과 비교하면…….."
"가르쳐 주세요. 부탁해요."

……정말이지 뭐가 뭔지 알 수가 없다.
에반은 미로엘의 요청에 따라 순순히 그녀가 이미 궁극까지 익혔을 기술들의 꼼수 수련법을 가르쳤다.
그러는 내내 그녀의 표정을 살피며 하이엘프의 속내를 조금이나마 읽어 보고자 했지만 물론 그가 알아낼 수 있는 것은 없었다.
그저, 에반이 가르치는 대로 몸을 움직이는 그녀의 모습이 정말로 즐거워 보였을 뿐.

"저 여자…… 정말로 안 되겠어."
"역시 그럴 줄 알았다니까. 그래서 루이즈 쪽은 어때?"
"아직 괜찮은 것 같습니다. 이대로 관계를 유지하면 좋겠습니다만, 도련님의 매력은 한계를 모르는 터라."
"우리 기사단원들한테 꼬셔 보라고 하면 안 돼?"
"우리 애들이 퍽이나 여자를 꼬시겠다."

견습 기사 둘을 받아들여 어스트레이는 보다 적극적인 훈련에 돌입했다.

그렇게 하루가 흐르고, 이틀이 흐르고, 일주일이 흘렀다.

던전 축제가 점점 더 가까이 다가오고 있었다.

❀ ❀ ❀

도시가 비명을 지르고 있었다.

하늘을 덮은 검은 구름에서 먹물처럼 검은 빗줄기가 내렸다. 그것은 마물을 강화하고, 인간을 약화시키는 치명적인 기운을 담고 있었다.

망자들은 인간이 그어 놓은 선을 넘어 범람했으며, 도시를 침범한 무수한 마족이 아직 망자가 되지 않은 인간들을 덮쳤다.

그것은 메르딘이 멸망하는 날의 풍경이었다.

'루덴, 결코 뒤돌아보지 말고 달려. 이 방을 빠져나간 순간부터는 누구도 아는 척하지 마. 달리는 거야.'

'하지만 어머니.'

'그래야만 한다. 이제 가! 어서!'

죽음으로 가득한 그 도시를 빠져나가려 루덴은 필사적으로 몸부림쳤다.

그렇게나 갖고 싶었던 모든 것이 덧없이 무너져 내리는 가운데, 모래성의 잔해에 짓눌려 압사하지 않기 위해.

평생 입어 본 적도 없는 스커트를 입고, 가발을 뒤집어쓰고, 옅게 화장을 한 채.

15년간 쌓아 올린 자기 자신을 모두 내던지고서, 그렇게 그녀는 성을 빠져나와 한사코 내달렸다.

'공자님, 이쪽으로.'

'눈을 돌리시면 안 됩니다. 앞만 보고 달리세요.'

'하지만 사람들이……'

'당신만이 메르딘의 희망입니다.'

'뒤는 이쪽으로.'

눈을 한 번 깜박일 때마다 새로운 죽음이 생겨났다.

귀를 막고 있음에도 사방에서 울부짖는 비명 소리가 들려왔다.

'가세요!'

'돌아보지 마! 그냥 가세요!'

'미끼를 풀어! 마족 놈들을 막아!'

'도련님, 살아남으셔야 합니다!'

'아, 으아아아……!'

몸이 덜덜 떨렸지만 발을 멈출 수는 없었다.

조금이라도 속도를 늦춘다면 다른 누군가의 발에 걸려 넘어질 테니까.

'너만 빠져나가려고?'

무시했다.

'메르딘을 버리고, 너만.'

무시했다.

'이름도 자아도 버리고 도망친들 거기에 무슨 의미가 있는데?'

무시했다.

'이봐, 그러지 말고 여기에 있자.'

그러던 한순간, 덜컥하고 몸이 붙들렸다.

'함께 죽자.'
'시, 싫어!'

사방에서 뻗어 온 망자의 손이, 그녀를 끌어당기고 있었다.

'루덴. 가당치않은 발악은 그만둬.'
'안 돼, 그만……!'

목소리를 높이기 전 덮쳐 온, 추악하고 시커먼 손바닥이 그
녀의 얼굴을 덮어 가렸다.

'루이즈라니, 네게 그런 귀여운 이름은 어울리지 않아.'
'스승님이라니, 이제 와서 소꿉장난이라도 하려는 거야?'
'수련을 해? 메르딘을 되찾아? 농담이 제법인데.'

온몸에 힘이 들어가지 않았다.
자신을 붙드는 손아귀를 떼어 내려 필사적으로 몸을 비틀
었지만, 구속은 점점 더 강해질 뿐.

'넌 지금도 그저 도망치고 있을 뿐이잖아.'
'우리와 함께 이곳에서 썩어 문드러졌어야 했는데.'
'카, 흐읍…….'

숨이 막혔다. 눈앞이 보이지 않는다.
단지 귓가에 들려오는 목소리만이 선명했다.

'루덴.'

'넌 그곳에 있어선 안 돼.'

'이곳으로 와.'

'영원한 죽음의 도시로.'

'메르딘으로!'

"끄읍!"

루이즈는 억눌린 비명을 내지르며 눈을 떴다. 아직 익숙해지지 못한 천장이 그녀를 반겼다.

몇 번이고 자신의 얼굴을 더듬어 본 끝에야 그녀는 자신이 지금 던전 도시 셰어든에 있다는 사실을 떠올릴 수 있었다.

절로 신음이 흘러나왔다.

"아, 아아아아."

메르딘의 붕괴는 이미 3년이 다 되어 가는 일이다. 자신은 그날 무사히 도시를 빠져나왔고, 비록 많은 고생을 하긴 했지만 끝내 셰어든에 도달했다.

이제 더는 위험하지 않다. 자신이 잠든 이후를 걱정할 필요가 없다. 그런데도 이렇듯 악몽이나 꾸고 있다니.

"젠장, 젠장……!"

검은 타르처럼 끈적끈적하고 더러운 기억이 뇌리에 들러붙어 떨어지지 않고 그녀를 괴롭혔다.

지난 3년간은 계속 이러했다. 앞으로도 당분간은, 아니 어쩌면 평생 그녀를 붙잡고 놓아주지 않을지도 모른다.

그 악몽이야말로 메르딘을 버리고 홀로 도망친 루이즈가 남은 평생 짊어지고 가야 할 업이었다.

"……일어나야지."

창 너머에서 쏟아져 들어온 햇살이 이불을 적시고 있었다. 아침이 된 것이다.

악몽을 꾸었다며 엄살을 피우고 있을 시간도 없었다.

그녀의 동갑내기 스승님은 무척 상냥하지만, 시간에는 엄격한 사람이니까.

"으…… 하지만 그 전에 우선 좀 씻을까."

식은땀으로 온몸이 젖어 기분이 몹시 나빴다. 그녀는 잠옷과 속옷을 한데 벗어 놓고는 방에 딸린 샤워실로 향했다.

처음엔 간부층에만 딸려 있었다는데 몇 년 사이 공사를 몇 번 더 하며 끝내 모든 기사가 머무르는 방에 샤워실을 완비했다고 한다.

'개인 샤워실이라니.'

아무리 생각해도 어처구니없는 일이다. 수시로 찬물과 뜨거운 물을 조절해 몸을 씻을 수 있는 마도공학 구조물이 방마다 있다니, 어지간한 귀족도 누리지 못하는 호사가 아닌가.

돈도 돈이지만, 어스트레이 본부 내의 구조물에 적용된 마도공학은 감히 자신이 상상도 하지 못하던 것들뿐이었다.

'그뿐인가, 본부 건물 코앞에 말도 안 되는 공능을 갖춘 목욕탕마저 있으니. 비록 남 앞에 살갗을 드러내는 게 조금 신경 쓰이긴 하지만 효과를 생각하면 들어갈 수밖에 없어……'

그리고 그 모두를 만들어 낸 이가 바로 그녀의 동갑내기 스승님, 에반 디 셰어든이라니. 다른 무엇보다도 그게 가장 믿기지 않았다.

'처음 셰어든의 둘째 공자에 대한 소문을 들었을 때는 과장이 심하다고 생각했는데.'

물론 대단한 인물임에는 분명하지만, 아무리 그래도 한 인간이 모든 분야에서 초인적인 업적을 달성할 수는 없다고 생각했다.

하지만 메르딘이 무너진 그날, 셰어든과 펠라티가 에반 덕에 무사했다는 것을 알게 되어 간신히 그 소문의 일부를 믿게 되었다.

후작가의 응접실에서 그와 마주했을 때 그의 보석처럼 반짝이는 미모는 오히려 소문보다 더하다는 것을 깨달았으며.

기사단의 면면과 조우하고, 셰어든에 에반이 미친 영향을 알게 되었을 때…… 비로소 에반은 자신 따위가 잴 수 있는 인물이 아니라는 것을 알았다.

'여자 버릇은 조금 나쁜 것 같지만. ……아니, 그만한 능력을 갖추었으니 그것도 당연한 걸까.'

천장에 설치된 샤워기에서 물이 쏟아져 루이즈의 가녀린 나신을 적셨다. 악몽 탓에 뿌옇게 흐려졌던 마음이 땀과 함께 씻겨 나가는 것 같았다.

그녀는 한참을 그렇게 가만히 있다가, 문득 손을 들어 자신의 가슴팍을 만져 보았다. 불과 몇 년 전까지만 해도 희미했던 융기는 어느덧 눈에 띄게 자라나 자기주장을 하고 있었다.

'만약 그가 끝까지 날 받아 주지 않으려고 했다면…… 이 몸이라도 내밀까 했는데.'

사실 그녀는 자신이 이성에게 매력적으로 보인다는 것을 잘 알고 있었다.

메르딘을 벗어나 셰어든에 이르기까지 3년간, 그녀가 신변의 위협을 느꼈던 것은 비단 자신의 신분 때문만이 아니었으니까.

온갖 무례한 자들이, 혹은 친절한 것처럼 위장한 자들이 모두 그녀의 몸을 노리고 수작을 걸어왔다. 메르딘의 후계로서 기른 능력이 아니었더라면 위험했을 것이다.

그렇다고 여장을 포기할 수도 없으니 최대한 얼굴을 가리고 여행해 왔다. 여러 의미로 불편하고 험난한 여행길이었다.

'남자라면 학을 떼게 되었지만…… 동시에 내 몸의 가치를 깨달았지.'

그렇기에 남자를 상대로 자신이 제시할 수 있는 협상 카드로서 몸을 내밀 생각까지도 하게 되었다. 아니, 내심 에반의 첩이 되리라 기정사실처럼 여기고 있었다.

그로써 그에게 보호를 받고, 메르딘을 되찾는 데 도움을 받는다. 자신이 직접 메르딘을 통치할 생각도 없다. 에반과 자신의 아들이 메르딘을 다스리게 된다면 그것으로 만족할 생각이었다. 그런데.

'우스운 생각이었어. 그는 처음부터 아무것도 바라지 않고 나를 받아 줬으니까.'

그녀의 몸을 원하기는커녕 남자로 있고 싶으면 그래도 좋다는 말까지 한 사람이다. 즉 그에겐 자기 싫다는 여자를 억지로 취할 생각 따위 없었던 것이다.

그리고 그럴 필요도 없겠지. 그가 좋아 어쩔 줄 모르는 여자가 당장 이 기사단 내부에만 몇 명은 되니까. 그것도 하나같이 루이즈와 비견될 만한 미모와 그녀보다 더한 능력을 지닌 재녀들뿐이다.

"으…… 으아아아아!"

루이즈는 뒤늦게 찾아온 쪽팔림을 견디지 못해 그 자리에서 바닥을 구르며 절규했다.

협상 카드는 무슨, 에반을 만나자마자 조급함을 이기지 못해 직접 몸을 주겠다고 외친 것은 자신이 아닌가!

에반은 대체 그녀를 보고 뭐라고 생각했을까? 아니, 생각하기도 싫다!

"나가자……."

무너지려는 멘탈을 억지로 부여잡은 후, 루이즈는 샤워실을 나와 몸을 닦고 옷을 갈아입었다. 단색의 훈련복이다.

움직이기 편한 훈련용 복장이지만 상태 유지, 온도 유지, 강도 강화 등등 여기 부여된 마법은 그리 간단하지 않았다.

듣자 하니 마법 의상을 만들 줄 아는 디자이너와 협업을 하고 있다는데, 요는 이것도 에반의 작품이라는 것이다.

"셰어든은…… 스승님의 도시구나."

이쯤 되면 대체 어째서 그가 영주 자리에 욕심을 내지 않는 것인지 의아해질 정도였지만 아직 그것을 물어볼 만한 사이는 아니다.

지금 이대로도 그녀가 원하는 것을 모두 얻어 낼 수 있다면 여기서 굳이 더 친해질 필요도 없을 터.

'남녀 관계로 발전하는 건 더더욱 말도 안 되고.'

아직은 여자로서의 자의식도 부족한 그녀에게 이성과의 관계란 이해 불가능의 영역에 있는 일이었다.

에반과 마주하게 되면 과연 그녀도 조금은 마음이 설레는 것을 느끼지만, 그렇기에 더더욱 경계하게 되었다.

굳이 그를 스승이라 칭하며 반쯤 억지로 사제 관계를 형성한 것도 그 때문. 그의 접근을 견제하기 위해서가 아니라 자기 자신의 충동을 견제하기 위해서였다.

'지금 내게 그런 사사로운 감정에 흐트러질 여유는 없어.'

어떻게든 메르딘을 되찾겠다고 다짐했다. 모두를 버리고 나온 자신이 할 수 있는 속죄는 오직 그것뿐이다.

그 목적을 위해 다른 사람을 휘두를지언정, 자신이 휘둘리는 일은 없어야 했다.

그녀는 재차 다짐하며 방을 나왔다. 눈앞에 눈부시게 아름다운 금발녹안의 엘프가 있었다.

"히익!"

"늦었네요, 루이즈. 단장님은 이미 지하에서 기다리고 계실 거예요. 함께 가죠."

기겁하는 루이즈에게 미로엘이 태연히 말했다. 루이즈는 한숨을 쉬고 말았다.

"아니, 그…… 미로엘? 왜 매번 제 훈련에 함께하시는 거죠?"

"그야 저도 견습이니까요. 동기와 함께 훈련하는 건 당연해요."

미로엘은 태연자약하게 그리 응대했다. 그러나 루이즈는 그녀가 말만 견습이지 그 능력은 에반에 비견될 만큼 대단하다는 것을 지난 몇 주간 겪은 일로 인해 대강 짐작하고 있었다.

"당신은 훈련을 할 필요가 없을 텐데요……."

"아니요. 하고 싶어요. 전 이 기사단의 견습 단원이니까."

"……."

그리 말하며 흐뭇한 미소를 짓는 미로엘의 모습에 루이즈의 입가가 부자연스레 씰룩였다.

경천동지의 능력을 지닌 이 엘프가 하필이면 셰어든 던전 기사단에 머무르고 있는 이유도, 이제 와 굳이 견습으로서 기초를 다지겠다고 오전마다 훈련장으로 향하는 이유도 빤했다.

에반 때문이다. 그녀가 에반을 사랑하고 있기 때문이다. 에반을 제외한 모두가 그렇게 확신하고 있었다.

"오늘은 스승님이 바쁘셔서 대신 다른 분이 훈련을 봐 주신다던데."

"정령들이 그가 지하에 있다고 속삭이고 있으니 아마 아닐 거예요. 자, 가죠."

괜한 심술에 거짓말을 해 봤으나 뛰어난 능력을 지닌 엘프에게는 그마저도 통하지 않았다. 루이즈는 어쩔 수 없이 후우, 긴 한숨을 내쉬며 그녀를 따랐다.

자신보다 키도 가슴도 크고 능력도 출중할뿐더러 에반에게 일방적이고도 강렬한 호의를 보내고 있는 미로엘을 보며, 루이즈는 역시 미인계는 포기하자는 생각을 굳히고 있었다.

'대체 어째서 이렇게 된 걸까. 셰어든에 오면서 내가 생각했던 것과는 모든 게 다른데……. 특히 나보다 모든 면에서 잘난 이 엘프 동기가 사사건건 끼어드는 부분이 가장!'

그래도 어쩔 수 없다. 에반에게 사사하여 성장해, 자신의 힘으로 메르딘을 되찾는 날까지 인내하며 노력하는 수밖에!
멸망한 도시에서 홀로 살아남은 메르딘의 적자는 그렇게 새로운 환경에 빠르게 적응해 가고 있었다.

한손 검, 보다 정확히는 숏소드를 다루는 데에 조금 익숙해진 루이즈는 다음 단계로 방패술 교습을 받게 되었다.
그리고 방패술 하면 어스트레이 던전 기사단, 아니 아마도 전 세상에서 제일가는 숙련자가 있었으니 바로 라이한 드루카스. 그가 그녀의 교육을 담당하게 되었다.

"헉, 허억, 헉……."
"벌써 방패술에 이렇게 능숙해지다니 대단한데."
"아니 그건 형이 할 말이 아니죠."

라이한은 훈련할 때에만 쓰라며 그녀에게 자신의 에코 실드를 빌려주었는데─인비저블 실드는 진화 과정에서 귀속 아티팩트가 되었기에 안타깝게도 빌려주지 못했다─그 효과는 실로 탁월했다.

가뜩이나 방패의 최상위 적성을 보유하고 있던 루이즈가 고작 일주일 만에 셰어든 정예병과 같은 수준의 방패술을 획득하게 된 것. 역시 스킬 수련에는 적성과 꼼수, 템빨이 최고였다.

거기에 에반이 지닌 두 번째 직업, 인도자의 효과까지 적용된다면 과거 라이한보다 더한 성장 속도를 보여 줄지도 모르는 노릇이다.

"좋아, 그럼 이제 슬슬 그걸 동원해도 되겠어."

에반은 에코 실드를 들고 땀을 흘리고 있는 루이즈의 모습에 고개를 끄덕이며 중얼거렸다. 라이한이 흠칫하며 그를 돌아보았다.

"헛, 공자님. 그건 그동안 제가 많이 성장시켜 놔서 많이 아플 텐데……."
"그런 만큼 수련도 더 잘되겠죠 뭐. 주위에 온통 사제가 널려 있는데 죽을 일도 없고."
"저, 스승님. 그거라는 게 뭐죠?"

간신히 숨을 돌린 루이즈가 물어 왔다. 에반을 만나고 얼마

되지 않았음에도 벌써 그의 패턴에 익숙해져 가는 것인지 그녀의 표정은 썩 좋지 않았다. 에반은 내심 흡족했다.

"그건 말이지, 바로…… 형?"
"후, 어쩔 수 없군요."

라이한이 자신의 목에 소중히 걸고 있던 푸른 크리스탈 목걸이를 벗어 에반에게 주었다. 루이즈는 그것을 보며 뜨악한 표정이 되었다.
남자가 남자에게 목걸이를 건네는 모습도 예사롭지는 않았지만 그보다 더 놀라운 것은 목걸이가 담고 있는 마력! 그 터무니없는 마력이었다!

"그게 무슨……! 대체 얼마나 대단한 능력을 지닌 아티팩트이길래 그런 말도 안 되는 마력을 품고 있는 거죠!?"
"훗, 보는 눈이 있구나. 이건 자신의 마력을 제물로 바쳐 바람의 화살을 다수 소환해……!"
"바람의 화살을 다수!"

목걸이가 품고 있는 마력에 홀려 그만 추임새를 넣고 마는 루이즈. 에반은 훗, 웃으며 이어서 설명했다.

"자기 자신을 공격하게 하는 아티팩트야!"

"자기 자신! ……아니, 잠깐."

반사적으로 그의 말을 따라 외치던 루이즈의 표정이 직후 시커멓게 죽었다.

"이거 혹시 저주에 걸린 아티팩트인가요?"
"응. 이제부터 넌 이걸 써서 방패술을 훈련하게 될 거야."
"으윽."

루이즈는 그 순간 질색하며 한 발짝 뒤로 물러섰지만 에반 은 거침없이 그녀에게 다가서며 목걸이를 내밀었다.

"자. 어서 차 봐."
"으으윽……."

다소 강압적인 태도로 자신에게 목걸이를 선물해 오는 절 세미모의 남성. 굉장히 두근거리는 상황이 아닐 수 없었다. 그 목걸이가 저주에 걸린 아티팩트만 아니었더라면 말이다.

"차, 찼습니다."
"좋아. 지금부터 할 수행은 간단해. 목걸이에 마력을 불어 넣어 만들어 낸 바람의 화살을 방패로 막는 거야. 바람의 화 살은 물리 속성과 마법 속성을 동시에 갖추고 있어서 수련치가 두 배거든. 굉장하지?"

인비저블 실드까지 함께 착용하지 못하는 것이 못내 아쉽지만 루이즈 수준의 적성에 네 배 수련 속도가 적용된다면 그래도 제법 빠른 속도로 방패술을 성장시킬 수 있을 터!

"으으, 이해할 수 없는 속도로 인재를 양성해 낸다는 소문을 들었을 때 바로 깨달았어야 했는데…….."
"투덜거리지 말고 시작해. 다치면 바로 치료해 줄 테니까 겁먹지 말고."
"혹시 방패로 막는 데 실패하더라도 실패 수련과 함께 맷집 스킬 획득 및 수련에 도움이 되니 망설이지 말도록 해."

눈을 부라리는 동갑내기 스승 옆에서 인자하게 이 수련의 메리트를 설명해 주는 교관. 루이즈는 둘 다 미웠다.
미웠지만, 따르지 않을 수 없었다.
비록 짧은 기간이긴 했지만 에반의 말을 따라 훈련하면서 실제로 자신의 능력이 비약적으로 성장했음을 알고 있기 때문이다.

"그러면 시작하겠습니다…….."

루이즈는 잔뜩 겁먹은 표정으로 아티팩트를 발동하더니만,

사방에서 무작위로 생성되어 자신에게 날아드는 바람의 화살을 정신없이 막아 내기 시작했다.

아티팩트가 진화했다더니 처음에 비하면 정말 장난 아니게 강해졌다. 에반도 순간 루이즈의 안위가 걱정되었을 정도였다.

그러나 에반과 함께 그 광경을 지켜보고 있던 라이한은 천연덕스러운 표정으로 에반을 안심시켰다.

"그래도 저건 제일 약한 모드입니다. 알아서 난이도를 조절했군요."

"저게 제일 약한 모드라고? ……형 요즘 대체 방패술 수련을 어떻게 하는 거예요?"

"그래 봐야 공자님 주먹이나 헤븐 블레이드에 비하면 간지러운 정돕니다."

그거야 그렇겠지만. 에반은 새삼스러운 눈으로 라이한을 살폈다. 하긴 그 역시 이미 방패술의 극에 이른 것으로 추정되니까.

그 이상으로 넘어가면 거기부턴 고유 스킬의 영역이다. 기본 전투 스킬이 진화해 고유 스킬에 이르는 것은 어지간한 요마대전 고인물도 겪어 보지 못한 일.

그런 의미에서 볼 때 에반이 어린 나이에 미하일로부터 천중을 전수받은 것은 정말이지 말도 안 되는 기적이었다고 말할 수 있었다.

"하긴 방패술을 그쯤 숙련하지 않고선 두 여자의 공세를 그렇게 여유롭게 버틸 수 있을 리 없지."

"하하. 그렇습니다, 공자님. 그래도 저는 둘뿐이라 어찌어찌 버티고 있습니다. 공자님은 대체 어찌 버티실지 기대가 되는군요."

"하하하, 무슨 말을 하는지 잘 모르겠는데."

"흐. 저도 샤인에게 들은 바가 있습니다, 공자님."

"샤인 그 망할 놈이!"

그때였다. 기본 훈련을 받을 필요가 없다고 그리 말하는데도 매일같이 루이즈와 같은 시간에 나와 자가 훈련을 실시하던 미로엘이 조심스레 에반에게 다가온 것이다.

"단장님."

"미로엘. 무슨 일인가요?"

"저도 루이즈처럼 수련 보조용 아티팩트를 받고 싶네요."

"……."

수련 보조용 아티팩트라니, 아마도 지금 루이즈가 목에 걸고 있는 푸른 크리스탈 목걸이를 말하는 것이겠지만…… 에반은 떨떠름한 표정으로 반문했다.

"당신한테 그런 게 필요해요?"

"예. 저도 견습 단원이지 않나요."

같은 처지의 견습 단원을 차별하지 말라는 미로엘의 주장은 얼핏 정당하게 느껴졌다.

에반은 그저 기술의 숙련도를 기준으로 삼아 루이즈에게 집중해 지원해 주고 있을 뿐이지만 미로엘이 그것을 보고 부당하다 여길 가능성도 물론 충분했다. 단……

'대체 이 하이엘프를 보다 강하게 만들어 줄 수련 보조 아티팩트를 어디서 구할 수 있단 말인가.'

에반은 고뇌했다. 그렇다고 그런 건 없다며 거절하는 것은 인도자인 그의 자존심에 상처를 내는 일.

어떻게든 지금의 그녀에게도 도움이 될 법한 아티팩트를 찾을 수 없을까, 없다면 만들어서라도…….

"아, 이거라면 괜찮을지도 모르겠는데."

"뭔가요?"

"자, 여기."

에반이 품에서 꺼낸 것은 일견 평범해 보이는 금속 링 팔찌였다.

그러나 안목이 있는 이라면 단순한 듯 섬세한 디자인과 범상치 않은 광택, 무엇보다도 그 안에 품고 있는 마나로 이 팔찌가 예사 물건이 아니라는 사실을 깨달을 수 있을 터였다.

"이건……."
"착용자의 민첩에 비례해 전신에 압력을 가하는 아티팩트예요. 제 고유 스킬을 참고해 만들어 낸 아티팩트죠. 우리 기사단에 소속된 드워프가 만들어 냈으니 나중에 만나거든 인사라도 해 줘요."
"우리 기사단에 드워프도 있었나요!? 어푸! 아각!"

방패술 수련을 하면서도 이쪽의 대화에 촉각을 곤두세우고 있던 루이즈가 화들짝 놀라 외치다 말고 바람의 화살에 연타로 얻어맞기 시작했다. 라이한이 한숨을 쉬며 그녀를 치료해 주었다.

"그렇군요, 몸에 압력을 가하는 아티팩트."

한편 미로엘은 여전히 감정을 알 수 없는 표정으로 가만히 그 팔찌를 바라보고 있었다. 마치 처음 보는 것을 경계하는 고양이 같은 표정이다.
그 표정을 본 에반은 작게 웃으며 팔찌에 대해 설명해 주었다.

"굉장히 무식한 방식이기는 한데, 이걸 착용하고 움직이면 민첩 스테이터스의 성장과 이동 계열 패시브 스킬의 성장에 긍정적인 영향을 줄 수 있을 거예요. 지금 당신에게 도움이 될 만한 게 이 정도밖에 생각이 안 나서."

"아니, 충분해요. ……충분히 도움이 될 것 같아요."

끝내 마음을 굳힌 미로엘이 팔찌를 받아 들었다. 그러나 그 직후 머뭇거리는 표정으로 에반을 보며 어색하게 질문했다.

"어떻게 착용해야 하지요?"

"아, 이 부분을 비틀어서."

인간 세상의 물건에는 익숙하지 않은지 팔찌 하나를 제대로 차지 못해 쩔쩔 매는 하이엘프의 모습은 제법 귀여웠다. 결국 에반은 직접 그녀의 손목에 팔찌를 채워 주었다.

"됐습니다."

"아…….."

백금색으로 반짝이는 가느다란 팔찌는 마치 미로엘을 위해 만든 물건인 것처럼 딱 맞았다. 미로엘은 자신의 팔목에 채워져 찰랑거리는 팔찌를 빤히 바라보았다. 만족스러운 표정이었다.

"그렇군요. 그렇군요……."

"아티팩트를 발동하는 방법도 설명해 드리죠."

"아뇨, 그건 저도 알 것 같습니다."

그녀는 곧장 자신의 마력을 팔찌에 불어넣어 그것을 발동했다.

에반의 고유 스킬인 천중을 응용해 만든 팔찌답게 발동하자마자 그녀의 전신에 끔찍한 압력을 가했지만, 겉으로 보기에는 아무런 변화도 없는 것처럼 보였다.

아니, 하이엘프인 그녀에게 이 정도로는 영향을 행사할 수 없는 것이겠지. 에반이 한숨을 쉬었다.

"역시 이 정도로는 안 되나. 그래도 성장형 아티팩트라서 계속 발동하고 있다 보면……."

"아, 괜찮습니다. 제 고유 무장을 이용하면 강화할 수 있을 것 같아요."

"그렇게까지 하려고요?"

"어려운 일도 아닙니다."

미로엘이 말을 끝마치는 것과 동시에 허공에 나타난 푸른 바람이 연기가 되어 흩어지는가 싶더니 이내 팔찌에 스며들었다.

바로 그 순간 팔찌가 발하는 압력이 에반에게도 느껴질 만큼 단숨에 증가했다. 과연 이치의 범주를 벗어난 혼의 힘. 에반은 그저 입을 떡 벌리며 감탄할 따름이었다.

"이제 확실히 수련이 될 것 같네요."
"……그래요, 그것참."

뿌듯한 표정으로 팔찌를 쓰다듬으며 말하는 미로엘을 보며 에반은 대체 무어라 대답해 주어야 할지 대답이 궁해졌다.
그러나 대답을 해 줄 필요는 없었다. 곧 고개를 든 미로엘이 뜻밖에도 그 자리에서 물러난 것이다.

"아무래도 훈련을 하기엔 이곳이 조금 좁을 것 같네요. 이렇게 된 것, 도시를 한 바퀴 둘러보고 오겠습니다."
"아…… 음, 조깅 코스를 찾는 거라면 형제 약국 본점에 있는 일로인을 찾아가세요. 엘프에게 좋은 산책로를 안내해 줄 거예요."
"훗, 고마워요. 그럼 가 보겠습니다."

그녀는 입가에 알 수 없는 미소를 띠곤 그 자리에서 사라졌다. 고유 무장의 힘으로 강화까지 해 더한 압력을 받고 있을 텐데도 여전히 그림자도 잡지 못할 만큼 빨랐다.

"……진짜 무슨 생각을 하는 건지 하나도 모르겠네."

"전 알 것 같습니다만."

"저도 알 것 같은데요."

에반이 허탈해져 중얼거리는 옆에서 라이한과, 언제 온 것인지 샤인이 한마디씩 거들었다. 아니, 하지만 이들은 모를 것이다. 그들은 요마대전 제로의 미로엘에 대해서 알지 못하니까.

그러나 지금은 그보다도 중요한 일이 있다.

"왔구나, 샤인."

"꾸엑!"

에반은 아무런 망설임 없이 샤인의 얼굴을 손바닥으로 붙잡았다. 완벽하게 먹힌 아이언 클로였다.

"너 라이한 형한테 무슨 말 했냐."

"아니 그냥 그날 있던 일에 대해서만 말했는데요! 아파요, 아픕니다, 도련님!"

"알려져도 상관없다고는 했지만 네 입으로 떠들고 다니라고 한 적은 없는 것 같은데. 넌 오늘 내내 나랑 신나는 1대1 대련이다."

"오늘 절 죽이겠다는 말을 다소 부드럽게 표현하신 것 아닙니까, 도련님!?"

"와아아아아, 단장님이랑 부단장님이 대련하신대!"

"신난다!"
"요즘 단장님 제대로 힘쓰는 거 못 봤는데 오랜만이네!"
"오늘 대난투도 재밌겠다!"

에반과 샤인 사이에 고조되는 긴장감을 눈치챈 다른 기사
단원들이 활기차게 떠들며 모여드는 바람에 졸지에 훈련장에
기사단원 전원이 모였다.

"응? 뭐, 뭐야. 대련? 저 둘이?"

혼자서 열심히 바람의 화살을 상대하고 있던 루이즈도 뒤
늦게 상황을 깨닫고 당황하며 수련을 중단했다.
단원들이 간격을 벌려 원을 만들고, 그 안에서 에반과 샤인
이 반강제로 대치하는 것이 보였다. 뜻하지 않게 어스트레이
의 단장과 부단장의 실력을 볼 수 있게 된 것이다!

"라이한 형한테 그것 좀 말했다고…… 칫, 이렇게 된 이상
저도 진심으로 갑니다!"
[조오아, 반역의 시간이다!]
"그래, 덤벼."

샤인은 정말 제대로 해 볼 생각인지 유령 아가씨까지 불러
내 자세를 잡았다.

그에 대응해…… 에반은 부츠를 매만졌다. 검보랏빛의 마기가 솟구쳤다. 그것을 본 샤인이 바로 스톱을 외쳤다.

"잠깐만요, 도련님!"
"왜, 나도 진심으로 갈 거야."
"그걸 대련으로 소모해 버리기엔 아쉽지 않습니까!"
"바로 끝내고 멈추면 돼, 걱정하지 마."
"아니 잠깐만! 도련님!"
"대련 시작!"

샤인의 말을 기다려 주지 않고 에반이 바닥을 박찼다. 훈련장 전체가 크게 진동했다. 린과 란 자매가 기다리고 있었다는 듯이 결계를 펼쳐 훈련장을 감쌌다.

그날, 루이즈는 에반이 어째서 셰어든을 구할 수 있었는지 그 이유를 조금이나마 깨달을 수 있었다.

던전 축제를 사흘 앞둔 어느 날, 드디어 형제 와이너리에서 첫 생산품을 완성해 냈다.

게임 속 모든 고급술의 레시피를 꿰고 있는 에반이 연금술에서 비롯된 화학 지식, 거기에 이 세상에서 실제로 술을 만드는 양조업자들의 조력을 받아 완성한 와인, 그 이름 하여 바로 셰어든 꿀딸기주!

"앞으로는 이 꿀딸기주가 셰어든을 대표하는 술이 될 거야."

"던전 도시의 대다수를 차지하는 중견 탐험가들이 셰어든 던전 20층까지 자유롭게 출입할 수 있게 된 지금, 가장 흔하게 구할 수 있는 과일이 바로 셰어든 딸기니까요."

"거기에 15층에서부터 25층에 이르기까지 광범위한 영역에서 서식하는 검은 동굴 벌의 벌꿀이 들어가지. 안정적으로 도시 전체에 공급할 수 있는 스탠다드 상품이 될 거야."

완성된 딸기 와인의 도수는 16도. 와인 중에서는 상당히 도수가 높은 편인데 평범한 와인이 아니라 높은 당도를 가진 던전 벌꿀을 넣어 발효시켰기 때문이다.

본래 와인은 과일 자체를 발효시켜 만드는 것이지만, 던전 딸기는 맛은 훌륭하나 당도가 부족하다는 단점이 있어 그것만 가지고는 적절한 도수를 뽑아낼 수 없다.

따라서 거기에 다른 과일과 섞었을 때 그 성질과 동화되며 당도를 높여 주는 마나적 특성을 지닌 던전 벌꿀을 더한 것!

"와인과 멜로멜—벌꿀에 과일을 첨가해 만든 벌꿀술—의 중간 즈음에 있는 술이라고 할까. 물론 발효에 마법적인 작용이 더해졌으니 기존의 술과 같은 용어로 구분하는 것도 이상하긴 한데."

"그래도 이 정도면 아슬아슬하게 와인이라고 볼 수 있지 않을까요."

병은 에반이 직접 디자인했다. 현대 와인 대다수가 차용하고 있는 병목이 좁은 원통형인데, 병목에서 바디로 넘어가는 어깨 부분이 실로 유려해 마시고 싶다는 욕구를 자극했다.

에반은 완성품을 몇 번 쓰다듬어 보며 흡족하게 웃곤 말했다.

"좋아, 그럼 바로 마셔 볼까."
"따라 드릴게요."

메이벨이 직접 병을 따 에반의 잔에 따라 주었다. 색은 진한 빨강. 포도주보다는 옅지만 보다 아름답고 도발적이다.

에반은 그것을 입에 머금었다. 콧속을 파고드는 상큼한 딸기의 향과 함께 그저 부드러운 맛이 나다가 뒤이어 달짝지근하게 달라붙는 느낌이 왔다.

그것을 좀 더 느껴 보려 한 순간 목으로 스르륵 넘어가며 상쾌한 뒷맛이 퍼졌다. 은은한 딸기의 잔향이 입안을 감돌며 만족감과 허무함을 동시에 안겼다.

명주다. 성인이 되고 후작저에 있던 비싼 술을 한 병씩 쓸어 와 마셔 본 에반의 입에도 그렇게 느껴졌다.

"오, 오오오오."

"어디 저도 한 모금. ······후우, 좋아라."

메이벨이 에반의 잔을 받아 들어 남은 술을 마시더니 에반과
마찬가지로 감탄했다. 그녀 역시 상회의 장으로 외부 활동을 하
며 이런저런 술을 마셔 보았지만 이만한 술은 흔치 않았다.

"무엇보다도 개성이 확실해서 좋은걸요. 이전엔 없던 맛과
향이에요. 외부 시장에 금방 파고들 수 있을 거예요!"
"외부 시장은 무슨, 내부 수요도 못 따라갈 텐데. 메이벨 넌
못 느꼈어?"
"느끼다니 대체 뭘······ 도련님의 심장이 내는 힘찬 고동
소리?"
"아냐, 떨어져. 아니라고."

술이 들어간 메이벨은 평소보다 더 적극적이었다. 간신히
그녀를 떼어 낸 에반이 한숨을 쉬며 설명했다.

"이건 술이면서 동시에 포션이야. 보다 정확히는 마법 효과
를 지닌 음식이지. 그래서 포션이나 버프 마법과 함께 사용할
수 있는 초고효율 전투 보조제라고 할 수 있어."

설마 에반이 단순히 술이 마시고 싶다는 생각만으로 술을
만들었겠는가.

그야 물론 시리즈 내내 등장하던 다종다양한 명주를 직접 만들어 보고 싶다는 생각도 없었다고는 할 수 없다.

　하지만 양조업의 근본적인 지향점은 바로 장기 보관이 가능하며 휴대가 간편하고, 나아가 신성 마법이나 포션과 효과가 겹치지 않아 탐험에 굉장한 도움을 줄 수 있는 마법 음료…… 던전술의 존재를 셰어든에 퍼트리는 데에 있었던 것이다.

　'형제 목욕탕이 던전에 다녀온 탐험가들의 피로를 풀어 주며 성장을 촉진하고, 형제 약국이 던전에서 탐험가가 허무하게 죽지 않도록 방지하는 역할을 한다면, 형제 와이너리는 탐험가들에게 몬스터와 맞서 싸울 힘을 주게 될 거야.'

　꿀딸기주를 시작으로 와이너리에서 생산될 다종다양한 와인은 보다 어려워진 셰어든 던전을 탐험하게 된 탐험가들에게 있어 최소한의 안전장치가 될 것이고, 그들이 보다 의욕적으로 던전을 탐험하며 몬스터를 소탕하도록 도와주리라.

　던전에서 일정량 이상의 재료를 채집해 오는 탐험가들에게는 술을 보다 싼값에 제공할 의향도 있었다. 에반은 스스로 노력하는 이들에게는 지원을 아끼지 않는 타입이었다.

　"어마, 그러고 보니 제 심장이 평소보다 훨씬 빠르게 뛰는 것도 같네요. 전 또 도련님이랑 같이 있어서 그런 줄 알았잖아요."

"에휴."

어느덧 잔을 비운 메이벨이 딸기 와인을 새로 한 잔 따라 마시고 있었다. 어느새 또 슬그머니 에반과의 간격을 좁히는 것이 보였다.

"너 그러다 취한다."
"자자, 저 혼자 마시다 취하지 않게 도련님도 드세요. 어서."
"이 녀석이."

메이벨이 형제 와이너리를 시작하기 전 그에게 경고했던가, 이렇게 될지도 모른다고. 그대로 되었다. 아니 이 녀석은 지금 에반을 넘어트릴 기세로 만만이지 않은가!

그때 그 말을 진지하게 들었어야 했을까 조금 후회하며 에반은 메이벨의 어깨를 부드럽게 짚고 그녀를 밀어냈다.

"나중에 어울려 줄 테니까 지금은 일해, 일."
"……도, 도련님?"
"일."
"네, 네엡!"

메이벨의 머릿속이 단숨에 복잡해지는 순간이었다. 어울려 준다니 어떻게 어울려 준다는 것일까, 설마 방금 Yes라는 사인이 떨어진 것은 아닌가!

고뇌하는 처녀를 놔두고 에반은 꿀딸기주 몇 병을 인벤토리 포켓에 챙겼다. 가져가서 마셔 보며 분석해 볼 요량이었다.

"당장 품질에는 문제없는 것 같으니 바로 판매 개시하자."

"가격은 어떻게 산정할까요? 원재료 공급은 사실 거의 헐값이고, 인건비랑 토지세만 적용하면 원가는 병당 은화 1매가 채 안 되는 수준인데요. 도련님이 직접 제공하신 마도구 비용을 고려하면 기하급수적으로 비싸지지만."

"병당 은화 5매. 대신 던전에 들어갈 예정인 탐험가들 위주로 판매하고, 대량 구매는 막아. 공급이 수요에 미치지 못하면 자칫 되팔이들이 기승을 부릴 수 있으니까."

물론 여기에도 예외는 있다. 에반의 관리하에 있는 마녀들의 길드 핏빛 사과는 물론이고 몇 년 전부터 에반을 적극적으로 도와주고 있는 피닉스 길드, 히트실드 길드에는 에반이 직접 술을 공급할 예정이었다.

"하지만 도련님, 아무리 그래도 그건 너무 싼데요."

그때 메이벨이 조금 놀란 목소리로 태클을 걸었다.

이 술이 지니고 있는 버프 효과는 완전히 제외하고 술의 맛과 향, 즉 술로서의 품질만 따진다고 쳐도 금화 몇 매는 우습

게 호가할 수 있다는 것을 잘 알고 있었으니까.

하지만 에반은 눈 하나 깜박이지 않았다.

"이건 어디까지나 탐험가들의 던전 탐험을 돕기 위한 음료수니까. 물론 고위 계층을 노린 고급 라인도 만들 예정이야. 단지 그건 보다 많은 탐험가들이 던전 심층에 출입할 수 있게 되었을 때부터 본격적으로 가동하겠지만."

"던전 심층에서 구한 재료로 만드는 술이라니 참 기대되네요. 어라, 그러고 보니 이번에 던전에 들어가신다고 하지 않았던가요?"

"축제 끝나고. 신인 교육 하느라 조금 늦췄어."

"신인……."

메이벨은 그 말에 요즘 항상 에반의 곁에 붙어 있으려 드는 금발의 엘프와 에반을 스승이라 부르는 소녀의 모습을 떠올렸다.

"그 여자들 말이죠. 조금 못생겨도 괜찮을 텐데 왜 하필이면 다 그렇게 곱게 생겨선. 쿳!"

"지금 그 신인들이 여성이라는 사실은 별로 중요하지 않은 것 같은데?"

"지금은 안 중요한 것 같지만 결국은 중요하게 된다구요, 도련님."

어디 그들뿐인가, 피닉스 길드의 엘로아와 핏빛 사과 길드의 셀룬도 만만치 않다. 셰어든에 머무르고 있는 다른 귀족가 여식들은 또 어떻고?

에반이 그 많은 여자들에게 시달리지 않도록 메이벨이 사전 교통정리를 하고 있다는 사실을 과연 그는 알고나 있을까. 아니, 아마 모를 것이다.

"한쪽은 영원을 살아가는 엘프고 다른 한쪽은 사랑 자체를 경계하는 사람인데 다짜고짜 그렇게 단정하는 건 그 둘에 대한 무례야."

"에휴, 이래서야 아마 앞으로도 모르시겠네요."

메이벨은 한숨을 쉬며 어깨를 으쓱였다. 에반은 울컥했지만, 반박해 봤자 별로 좋을 일이 없다는 것만은 알고 있었기에 지금은 입을 다물고 물러나기로 했다.

그날 저녁. 에반은 샤인, 라이한과 함께 본격적인 술판을 벌였다.

여성 멤버들도 무척이나 끼고 싶어 했지만 이번만은 단호히 거절해 두었다. 남자끼리 있어야만 할 수 있는 얘기도 있는 법이니까.

"자자, 빨리 판 깔아."

"이거 형제 꼬치네요. 향이 너무 좋은데, 혹시 주인장이 직접 구운 겁니까?"

"응, 내가 뜯어 왔어. 그래도 술만 마시기는 심심하잖아."

샤인이 간단하게 테이블을 세팅했다. 라이한은 꿀딸기주에 관심이 있는지 그것을 이리저리 살피며 눈을 빛냈다.

"이 술…… 와인 같은데 도수가 제법 높군요, 공자님. 세르피나가 좋아할 것 같습니다."

아니, 본인이 아니라 연인을 위한 행동이었다. 에반은 픽 웃으며 대꾸했다.

"그 누나는 술이라면 뭐든 다 좋아하잖아요."

"그래도 분위기 내는 자리에서 맥주나 벌컥벌컥 마시고 있을 수는 없잖습니까."

"오, 형도 센스가 많이 늘었는데요. 여자한테 사랑받겠어요."

"억지로 주입당한 겁니다, 억지로."

라이한이 툴툴거리며 병을 땄다. 꼬치를 집어 고기를 먹기 좋게 빼내어 접시에 정리하는 작업을 하던 샤인이 문득 말했다.

"파티에 참여해 한 잔씩 한 적은 있지만 이렇게 모여 앉아 술을 마시는 건 처음인 것 같습니다?"

"처음 맞아. 그동안 바빴잖아."

올 3월, 에반이 성인이 되면서 그보다 생일이 느린 샤인도 은근슬쩍 술을 마시게 되었다.

하지만 크라켄이다 던전 개방이다 그동안 여기저기 신경 쓸 일이 너무 많아 도무지 진득하니 한자리에 앉아 술잔을 나눌 여유가 없었다.

그러다 조금 여유가 생겼다 싶었을 땐 하이엘프가 쳐들어오질 않나, 메르딘의 생존자인 루이즈가 찾아오질 않나…… 마음 놓고 술을 마실 수 있을 리가 없다.

"그러다 보니 벌써 7월이군요. 던전 축제도 코앞이고."

"이번에 또 무슨 일이 생기는 건 아니겠죠. 전 이젠 던전 축제 얘기만 나와도 머리가 아픕니다."

하긴 그도 그렇다. 이전 있었던 셰어든 던전 축제 때는 마화족 침입 사태가 있었고, 펠라티 던전 축제 때는 마족 대공습이 있었으니까. 그러나 에반은 샤인의 말에 코웃음을 치며 대꾸했다.

"그 어떤 일이 일어나도 도시를 무사히 지켜 내는 게 우리 임무야. 나라고 그동안 놀고 있었는 줄 알아? 던전 축제가 열리는 내내 이 도시에는 쥐새끼 하나 못 들어와."

"더구나 버나드 님과 일로인 님도 돌아오셨으니."

"그도 그렇네요. 지금 전력이라면 요마왕도 이길 수 있겠습니다."

"너 아까부터 왜 자꾸 불길한 말만 해 대는 거야? 너 먼저 한 잔 비워라, 이 자식아."

벌주를 겸해 샤인이 가장 먼저 술을 받았다. 그는 입술을 삐죽이며 단숨에 와인을 비웠고…… 이내 감탄사를 흘렸다.

"이거 엄청 맛있는데요! 도련님, 정말 이거 은화 5매에 파는 겁니까? 폭동 일어날 텐데!"

"던전에 들어가는 탐험가들이 우선적으로 구매할 수 있도록 컨트롤해야겠지. 애초에 큰돈 벌자고 하는 게 아냐. 결과적으로 셰어든을 발전시키기 위해 하는 사업이야."

"처음 던전이 개방되어 마구잡이로 들어가는 탐험가들을 방치할 땐 공자님께서 일반 탐험가들에 대한 지원을 끊으시려나 했는데 아니었군요."

에반의 말에 라이한이 으음, 신음을 흘리며 말했다. 그도 어느덧 손에 와인이 담긴 잔을 들고 있었다. 에반은 쓴웃음을 지으며 대꾸했다.

"말했잖아요. 그건 통제할 수 없는, 욕심만 가득한 사람들을 걸러 내기 위한 방치였다니까요. 한탕주의에 물든 이들이 아니라, 견실하게 한 걸음 한 걸음씩 나아가는 탐험가들이라면 얼마든지 지원해 줄 셈이에요."

"저야 공자님께서 어떻게 하시든 믿고 따를 뿐입니다. 다만 이번에는 특히 예감이 좋군요. 이 술…… 다른 버프와 중첩되어 사용할 수 있다는 점에서 상위 탐험가들에게도 환영받을 겁니다."

"던전 공략 속도가 한층 빨라지겠죠."

"그래 봐야 우리 속도를 따라오진 못하겠지만요."

샤인이 킥킥 웃으며 새로 술을 따랐다. 아무래도 꿀딸기주가 단단히 마음에 든 모양이었다. 에반은 자신의 잔을 비우고는 꼬치를 하나 들어 베어 물며 샤인에게 말했다.

"그러고 보니까 오늘 너한테 말해 주려던 게 있었는데."

"뭡니까?"

"이번 축제에 아나스타샤 공녀 온대."

"켁! 케헥!"

샤인이 마시던 술을 뿜었다.

"아무래도 단단히 작정하고 오는 것 같던데. 영주 대리까지

구했다는 걸 보면 축제 끝나고도 안 돌아갈 가능성이 있어."

"아니⋯⋯."

입술을 파르르 떠는 샤인. 옆에서 라이한이 고개를 끄덕이며 말했다.

"그야 불안했겠지. 한창 잘나가는 서방을 온갖 인간이 드나드는 던전 도시에 남겨 두고 본인은 시골 영지에 처박혀 있으려니."

"끝까지 비밀로 해 달라는 걸 전해 준 거니까 의리는 지킨 거다."

에반은 천연덕스레 말하며 잔을 마저 비웠다. 샤인이 그저 부르르 떨고 있는데, 라이한이 문득 물었다.

"그래서 샤인, 공녀와 어디까지 간 거냐?"

"와, 설마 형이 스타트를 끊을 줄이야."

"큼, 그래도 제가 연장자이지 않습니까."

둘은 그런 대화를 나누면서도 시선은 샤인에게 고정된 채였다. 그는 그 시선을 피해 보려 이리저리 고개를 비틀었으나 소용이 없었다.

평소엔 한심한 주제에 이럴 때만 매처럼 날카롭게 빛나는 눈빛으로 샤인을 쏘아보는 두 남자! 그는 체념하고 입을 열었다.

"그…… 키스 같은 스킨십은 이전부터 종종 있었습니다만. 그러니까 그게, 아샤가 성인이 된 날에."
"얼씨구."

끝까지 갔다는 얘기였다. 용케 유령 아가씨가 여태 폭발을 안 했다 싶었다. 아니, 어쩌면 에반이 모르는 사이 이미 했을지도 모른다.

"아, 그러고 보니 그즈음부터 샤인이 아나스타샤 공녀를 그냥 '아샤'라고 부르기 시작했어."
"님 자도 떼고 말이죠."
"이거 들키면 공작 각하 정말 폭발하십니다. 진짜 비밀로 해 주셔야 합니다."
"너희 결혼 문제는 내가 어떻게든 해 줄 테니까 그때까지만이라도 피임 신경 써라."
"피임 중요하지."

자못 심각한 표정을 지으며 고개를 끄덕이는 에반과 라이한. 샤인은 뚱한 표정을 짓다…… 예고 없이 반격의 봉화를 올렸다.

"그런데 도련님은 왜 소식이 없습니까? 벨루아랑 서로 좋아하시는데."

"큼, 루아는 그…… 아직 미성년이잖아."

예기치 않게 날아든 반격에 잠시 당황했으나, 에반은 곧 마음을 가다듬고 답했다. 그러나 통하지 않았다.

"열여섯이면 다 컸죠."

"서로 좋아서 맺는 관계인데 괜찮지 않습니까?"

샤인은 그렇다 치고 라이한마저 이렇게 나올 줄이야. 에반은 고개를 살짝 돌리며 반박했다.

"루아가 지금은 안 된다고 했어."

"그건 그냥 하는 소리죠."

"당황스러워서 했던 소리일 겁니다. 저도 처음엔 갑작스러운 관계는 안 된다고 주장했습니다만."

"통하지 않았구나."

"씨알도 안 먹혔지."

"아무튼!"

에반이 조금 큰 소리를 냈다.

"누구 눈치도 안 보고 루아를 맞아들일 수 있게 됐을 때 안을 거야. 이 얘긴 여기서 끝내."

"지금도 딱히 눈치 보실 필요 없을 텐데."

"혹시 요마왕을 처치한 후를 말씀하시는 것 아닐까."

"그거라면 의외로 금방일 것 같긴 한데."

이 사람들은 대체 요마왕을 얼마나 만만하게 보고 있는 것일까. 그동안 요마왕의 위험성에 대해서는 질리도록 얘기해 줬던 것 같은데.

그런데 에반이 한숨을 쉬며 그 얘기를 하려던 찰나 샤인이 예리한 부분을 찔러 왔다.

"그럼 아리샤 아가씨나 세레이나 공주님은? 한쪽은 이미 약혼했고 다른 한쪽과도 약혼할 예정이니 결혼한다 봐도 될 텐데요. 설마 두 분이 도련님을 거절할 거라는 말도 안 되는 말씀을 하실 생각은 아니겠죠?"

"응, 그건 아냐."

에반 역시 순순히 그 말에 고개를 끄덕였다. 아리샤와 세레이나는 피를 후대로 계승할 의무를 지닌 귀족이니까. 그녀들은 사랑을 하면서도 그 후를, 자손을 생각한다.

"그 둘이라면 당장 결혼해서 애를 낳자고 해도 반기겠지.

나도 알아."

"그러면 왜? 도련님도 성욕이라는 게 있을 텐데."

"……루아가."

"음?"

"벨루아가?"

충동적으로 벨루아의 이름을 입 밖에 내고 바로 후회한 에
반이었으나, 두 사람의 시선이 그의 얼굴에 똑바로 꽂히고 있
어 차마 없었던 말로 할 수가 없었다.

그는 끝내 고개를 살짝 숙이며 작은 목소리로 대꾸했다.

"처음은 자신이었으면 좋겠다고 했어."

"……."

"……."

그 말이 나온 순간 자리에 기묘한 정적이 흘렀다. 에반은 거
기에 말을 더하지 않고 홀로 와인을 홀짝였다.

그렇게 몇 분이나 흘렀을까, 곧 샤인이 딱딱하게 굳은 목소
리로 말했다.

"이건 비밀로 합시다."

"그래."

"우린 이 얘기 못 들은 겁니다."

"무슨 얘긴지도 모르겠는데."

"그럼 이제 라이한 형 첫 경험 얘기로 넘어갑시다!"

"이 녀석이!?"

술자리는 끝내 에반이 챙겨 온 술병을 모두 비울 때까지 이어졌다.

그다음 날, 던전 축제의 전야제가 열렸다.

전야제부터 본격적으로 시작된다고 볼 수 있는 던전 축제를 맞이해 후작가는 여러 길드, 그리고 던전 기사단인 어스트레이와 함께 철저한 경비를 실시했다.

이번 축제에서만은 결코 그 어떤 사고도 내지 않겠다는 각오가 저변에 깔려 있었다.

"경비에 특별한 문제는 없겠지?"

어스트레이의 수장으로서 당당히 경비의 한 축을 담당하게 된 에반 역시 신경이 예민해져 있었다. 샤인 역시 살짝 경직된 표정으로 그에게 보고했다.

"현재까지 보고된 문제는 없습니다. 여기 경비병 배치도, 그리고 아이언월 나이츠의 순찰 지도입니다."

"고마워."

이미 달달 외우고 있던 내용이었지만 마지막으로 다시 확인했다. 경비조와 순찰조를 모두 파악하고 어스트레이가 맡은 내부 순찰 경로까지…….

"결국 내부 순찰이라니. 사실상 전야제를 즐기며 돌아다니라는 거잖아. 형도 참 무르다니까."

"하지만 저희만큼 적임이 없기도 합니다. 나이대가 어리고 복장도 다양하니 어디에든 쉽게 녹아들 수 있고, 몸놀림도 가장 민첩하니까요."

"후. 약간의 휴식은 허용해 주겠지만 임무 자체를 소홀히 하면 크게 혼낼 거라고 단단히 일러둬."

"굳이 그런 말을 할 필요도 없을 것 같습니다만, 알겠습니다. 확실히 말해 놓겠습니다."

다음으로는 순찰조의 편성. 순찰은 2인 1조로 이루어지게 된다.

우선적으로 샤인과 루이즈, 디토와 멜슨, 라이한과 에나, 폴과 마리, 진과 린과 란. 총 다섯 개 조를 편성.

린과 란은 둘이 같이 붙어 있으면 터무니없는 능력을 발휘할 수 있는 기사단의 비밀 병기지만 아직 나이가 어려 여기저기 한눈을 팔 가능성이 있기에 굳이 진을 붙인 것이다.

"그래서…… 결국 내 파트너는 누구로 정해졌어?"

"세레이나 전하가 이겼답니다."

"어차피 축제 기간 내내 돌아가면서 할 텐데 쓸데없이 힘 빼기는."

어스트레이는 몇 개인가의 조로 나뉘어 전야제가 실시되는 중심거리를 순찰하게 되는데, 에반의 파트너가 되면 사실상 축제를 에반과 함께 즐기며 데이트를 하는 셈이었기에 여성 단원들이 그 권리를 놓고 실로 치열한 경쟁을 벌였다.

아무래도 입지가 약한 에나가 눈물을 흘리며 가장 먼저 떨어져 나갔고, 나머지 여성 멤버들끼리 시합을 한 결과 세레이나가 영광스러운 첫 타자가 되었다는 것이다.

"그러면 남는 게 루아와 아리샤, 그리고 미로엘인가."

"미로엘 님은 견습이지만 능력만 따지면 제일이니까요. 단독으로 돌려도 되지 않겠습니까?"

확실히, 미로엘이라면 유사시에도 너끈히 상황을 이겨 낼 수 있을뿐더러, 바람의 정령을 부려 다른 순찰조에 상황을 전달할 능력도 갖추고 있다.

분명 문제는 없다. 문제는 없지만.

"그러면 여덟 개 조가 되는데, 으음…… 굳이 여덟 개까지 필요 없을 것 같아. 그러니 이 셋을 한 조로 묶자. 아무리 강해도 그렇지, 견습이라는 게 마음에 걸려. 루이즈는 견습이라는 이유로 부단장인 널 붙였잖아."

"하긴 일곱 개 조면 충분하긴 합니다만. 그럼 그렇게 하시죠. 아, 폴과 마리 조는 그대로도 괜찮을 것 같습니다만……
디토와 멜슨 조는 그대로 놔둬도 괜찮을까요?"

"응. 방패 전사와 도적 궁합이잖아. 순찰조 구성으로는 완벽해."

디토는 원래 도끼의 적성을 지니고 있던 아이로, 덩치가 크고 그런 만큼 체력이 좋아 몇 년 전부터 라이한에게 방패술의 교습을 받고 있었다.

어스트레이 내부에서는 존재감이 없어 잊히기 쉽지만 그도 밖에 나가면 터무니없는 실력을 발휘하는 특급의 전사다. 거기에 15세라는 나이는 아무런 문제도 되지 않았다.

"두 명을 묶었을 때 최소한 사천왕 수준의 적의 발목을 잡고 버틸 수 있을 만한 구성을 짰어. 믿고 맡겨."

"이 녀석들도 벌써 그 정도 수준이 됐습니까……."

"넌 얘네 나이에 이미 사천왕을 잡았으면서 무슨."

에반은 코웃음을 치며 어스트레이 기사단 전원을 소집해 확정한 조 편성을 공지했다.

지금 시간은 오후 6시. 이미 도시 전체는 들뜬 분위기가 지배하고 있었다.

거리는 이미 노점으로 가득하고, 외부에서 유입되는 관광객도 기하급수적으로 늘어나고 있다. 바로 순찰을 개시해야 했다.

"아, 밥은 먹이고 출발시켜야 할 텐데."

"노점에서 먹으면 되니까 괜찮습니다!"

"이 자식들 놀 생각뿐이네!"

에반은 차례차례 순찰조를 출발시켰다.

다른 조는 딱히 문제가 없었지만 아리샤와 벨루아, 미로엘로 이루어진 조는 출발하기 전 에반을 빤히 바라보며 좀처럼 나가려 하질 않았다.

"이번 축제 사흘간이고 오늘은 전야제니까 앞으로 사흘 남았다, 사흘."

"……알겠습니다. 다녀오겠습니다, 도련님."

"칫, 어쩔 수 없지……. 세레이나 너, 에반이랑 둘만 있다고 촐싹대지 마."

"메롱이다. 난 오빠랑 팔짱 끼고 다닐 거지롱."

아리샤와 벨루아는 그의 말을 받아들여 순순히 물러났다. 에반이 격려의 의미를 담아 그녀들의 뺨에 입맞춤을 해 주자

기분이 더욱 나아진 모양이었다.

"아직 견습인 제가 단장님의 도움 없이 어떻게……."
"단장 지시입니다. 아리샤 부단장이 옆에 있으니 아무 문제
도 없을 거예요."

미로엘만은 끝까지 버티려 들었지만, 이런 지시에도 따르
지 않는다면 그녀를 군이 기사단에 데리고 있을 까닭이 없다.
에반은 다소 엄한 말투로 말하고는 아리샤에게 지시했다.

"아리샤, 부탁해."
"맡겨 둬. 미로엘, 가요."
"큭……."

그간 견습이라는 말을 무적 기술처럼 사용하며 어떻게든
에반과 함께 행동하려 했던 하이엘프도 그렇게 덧없이 끌려
갔다. 어떻게든 된 것이다.

"후우…… 다 나갔나?"
"아직 저희가 남았습니다."

그의 말에 대답하며 앞으로 나선 이는 다름 아닌 샤인이었
다. 샤인과 루이즈 조가 남아 있었던 것이다.

"루이즈, 가자."

"예. ……이제 각오가 됐습니다."

마지막까지 본부 건물 안에 남아 있던 루이즈가 몸을 살짝 떨면서도 샤인을 따라 일어섰다.

셰어든에 찾아와 에반에게 몸을 의탁한 이래, 그녀가 에반 없이 밖에 나서는 것은 이번이 처음. 그런 만큼 굉장한 각오가 필요했다.

"정말 괜찮겠어?"

"예. 항상 스승님과 함께 행동할 수도 없으니까요. 더구나 부단장님도 강한 분이시고."

"도련님하고 비교하면 약해 빠졌지만, 뭐. 요마왕까지라면 막아 볼게."

이전 있었던 에반과 샤인의 대련을 보았던 것이 그녀에게 있어 그나마 좋게 작용했다.

에반이 발휘한 힘은 아예 인지를 초월한 수준이지만, 힘겹게나마 그를 막아 내고 반격하던 샤인의 인상 또한 강렬했으니까. 요마왕을 막겠다는 샤인의 말이 농담으로 들리지 않을 정도로.

"루이즈, 네 능력도 실시간으로 성장하고 있어. 너무 두려워하지 말고 다녀와."

"……알겠습니다."

루이즈는 부담감을 느끼면서도 기어이 본부 밖으로 걸음을
내디뎠다. 샤인이 쓴웃음을 지으며 에반에게 경례했다.

"다녀오겠습니다."

"루이즈 잘 부탁해."

"본인만 모르고 있다 뿐이지 이미 어지간한 탐험가 수준은
될 텐데 말이죠."

숏소드와 방패에 최상위 적성을 지니고 있는 루이즈를, 요
마대전 독극물 에반이 직접 수련용 아티팩트까지 준비해 가
며 몇 주간 수련시켰으니 어련하겠는가?

그 짧은 수련 기간 동안 루이즈는 이미 범인은 결코 도달할
수 없는 영역에 이르러 있었다. 주위에 워낙 괴물들밖에 없어
본인은 아직 잘 모르고 있겠지만…….

"원래 그걸 스스로 실감하기까지가 힘든 거야."

"과연 도련님이 하시는 말씀에는 무게가 있네요."

"이 자식이."

"다녀오겠습니다."

샤인이 킥킥 웃으며 루이즈를 이끌고 출발했다. 에반은 얌전히 대기하고 있던 세레이나와 함께 마지막으로 본부를 나서며 뒤를 돌아보았다. 그곳에 있는 것은 바니걸 복장을 한 에반의 시녀, 디오나다.

"디오나, 네가 커맨드 센터를 담당하는 거야. 통신구랑 지도 잘 확인하고 있어."
"예, 자리를 지키고 있을 테니 걱정하지 마세요."
"좋아. 그럼 우리도 갈까."
"응, 내가 오빠를 지킬게."

씩씩하게 말한 것까지는 좋았으나 에반의 옆에 다가와 붙은 그녀는 어딘가 진정하지 못하는 기색으로 그의 눈치를 보았다. 에반은 그녀의 생각을 눈치채곤 피식 웃으며 말했다.

"팔짱 껴도 돼."
"그럼…… 이거 데이트라고 생각해도 돼?"
"아니, 순찰 임무."
"히잉."

녀석은 울상을 지으면서도 에반의 팔짱을 끼는 것만은 포기하지 않았다. 팔뚝 너머로 전해져 오는 뭉클하고 포근한 감촉이 에반을 미소 짓게 했다. 세레이나도 만족한 표정이었다.

"으음, 그래도 임무 중에 몰래 데이트하는 거라고 생각하면 제법 괜찮은 것 같아!"

"임무라니까."

"내일이 오면 다른 여자에게 오빠를 뺏길 것을 알면서도, 애써 그것을 생각하지 않으며 지금은 그저 이 순간을 즐기는 거야…… 오늘만은 오빠도 나만의 연인이니까."

"글쎄 그것도 임무잖아, 인마."

에반은 멈추지 않는 세레이나의 망상에 태클을 걸며 그녀를 이끌고 본부를 나섰다. 못내 부럽다는 표정으로 그들을 전송하는 디오나를 있는 힘껏 무시하며.

이전 셰어든에서 있었던 던전 축제도 그랬지만 이번 축제 역시 이전 축제로부터 무려 6년 만에 치러지는 행사다 보니 전야제부터가 상당히 거창했다.

나날이 명성을 더해 가는 형제 꼬치의 주인장도 노점을 몇 개씩이나 열었고, 형제 와이너리도 제품 홍보를 겸해 축제 기간에 한해 꿀딸기주를 대량으로 유통했다.

성대하게, 요란하게. 인간의 성세를 자랑하듯 찬란하게.

3년 전 있었던 마족 대공습이 남긴 상처는 아직까지도 미처 아물지 않고 있지만, 어찌 됐든 인간들은 그것을 이겨 냈으며 앞으로 나아갈 것이다.

이번 던전 축제는 바로 그것을 다짐하기 위한 행사이기도 했다.

"이거 맛있다, 오빠!"

"레이 너, 그렇게 많이 먹다가 돼지 된다."

"히히, 난 다 가슴으로 가니까 괜찮아."

대다수 여자들이 듣고 분노해 길길이 날뛸 법한 얘기를 아무렇지도 않게 하며 와앙, 크게 튀김을 베어 무는 세레이나.

하지만 확실히 그녀의 몸에서 군살이라곤 찾아볼 수가 없다. 잘록한 허리를 지니고 있으면서도 흉부만이 탐스럽게 부풀어 오른 그녀의 몸매는 인류가 이해할 수 없는 신비의 영역에 있었다.

"오빠도 먹어. 아앙."

"그래그래. 아앙."

뭐, 이 정도 서비스는 괜찮겠지. 에반은 순순히 입을 벌려 세레이나의 손에 들린 튀김을 받아먹으며 생각했다.

연애질이나 하며 본격적으로 농땡이를 피우고 있는 것처럼 보이지만 실상 지금 가장 철저하게 순찰 임무를 수행하고 있는 것은 그들의 조일 것이다.

세레이나가 부리는 네 마리 슬라임으로 광범위한 영역을 매 순간 감시하며, 이상한 것을 발견하는 즉시 테이머인 세레이나에게 보고가 들어가도록 되어 있으니까.

이런 면에서 보면 역시 감시, 정찰 임무로는 테이머만 한 적역이 없었다.

"우리 술도 한잔 마실까?"

"그건 참아."

"칫. 아, 저기 못 보던 노점이다!"

그들은 느긋이 순찰 루트를 따라 돌면서 세레이나의 말마따나 임무를 빙자한 데이트를 즐겼다.

때로 다른 조와 만나면 서로 다른 매점에서 구입한 먹거리를 나누고 정보를 교환하기도 했다.

"저쪽에서 류트걸즈 공연하던데요."

"걔네 전야제부터 시작해서 나흘 내내 볼 수 있으니까 걱정하지 마."

"아, 공주님이랑 단장님이랑 팔짱 끼고 있다!"

"진짜다!"

"너희 루트로 가라, 이것들아."

기사단원들뿐만이 아니다. 형제 약국 직원들이나 신전의 인물들, 친하게 지내는 다른 길드의 멤버들도 오며 가며 얼굴을 마주쳤다. 대부분 웃는 얼굴이었다. 에반은 괜히 뿌듯해졌다.

"에반 공자님이 약혼자 놔두고 바람을 피우네."
"역시 남자는 능력이 좋아야 한다니까."

그들이 에반에게 시비를 걸기 전까지는 말이다.

"아, 저리들 가요 좀."
"에반 공자, 나랑도 놀자!"
"순찰 중이니까 나중에."
"도련님, 이거 드시고 가세요!"
"이제 배불러요!"

눈에 보이는 대부분의 노점을 클리어하고 배도 어느 정도 찼을 무렵, 드디어 불꽃놀이가 시작되었다.

마나로드의 폭죽을 대거 구입하는 것으로도 모자라 크테아 실과 함께 개량에 개량을 거듭한 특제 폭죽이 셰어든의 하늘을 가득 채우며 성대하게 폭발했다.

"와아."
"끝내주지?"
"응. 오빠한테 얘길 듣고부터 쭉 보고 싶었는데."

세레이나가 배시시 웃으며 에반에게 보다 가까이 달라붙었다. 이전 에반이 이 마법 폭죽을 본 것이 3년 전 그 비극이 있던 날이니, 에반에게 있어서도 제법 감회가 깊다고 할 수 있었다.

"오빠, 나 이제 안 불안하지?"
"응?"
"예전엔 맨날 불안해했잖아."
"아…… 그거."

에반은 자신을 가만히 올려다보며 묻는 세레이나를 마주 보며 어깨를 으쓱였다.

"불안하지. 사천왕 좀 물리쳤다고 완전히 안심할 수는 없잖아. 네 재능을 탐내는 고위 마족은 언젠가 반드시 다시 나타나게 되어 있어. 인생 그렇게 만만하지 않다."
"우웅, 바라던 대답이 아닌데."

세레이나는 볼을 부풀리며 투정을 부렸다. 그야 물론 에반도 그녀가 무슨 말을 바라는지 알고 있었다. 그는 킥킥 웃으며 세레이나의 이마에 가볍게 알밤을 먹이곤, 속삭이듯 말했다.

"그러니까 안심할 수 있게 계속 내 옆에 있어, 레이."
"……지금 뭐라고 했어, 오빠?"

"못 들었으면 말고."

에반이 태연히 대꾸하며 고개를 돌리려 하자 세레이나가 기겁하며 그에게 매달려 외쳤다.

"아냐, 들었어! 나 계속 오빠 옆에 달라붙어 있을 거야!"
"그래그래."
"진짜 귀찮을 정도로 찰싹 달라붙어서…… 아, 그래도 정말 귀찮게는 안 할 거야, 나도 이제 다 큰 숙녀니까!"

과연, 지금 자신이 무슨 짓을 하고 있는지는 자각이 없다는 뜻이렷다. 이런 면이 귀여우니까 괜찮지만.
에반은 볼이 붉게 물든 채 횡설수설하는 세레이나에게서 고개를 들어 하늘에서 연달아 펑펑 터지고 있는 마법 폭죽을 바라보았다.
3년 전에도 저 멋진 불꽃놀이를 감상하다 사건이 터졌던 것을 떠올리니 몸에 절로 긴장이 들어갔지만…… 다행히도 오늘은 아무 일도 벌어지지 않을 모양이었다.

❀ ❀ ❀

전야제가 끝나, 던전 축제가 본격적으로 개시되고도 하루가 더 흘러 축제 2일 차 오후.

오늘의 파트너는 자신이라며 아리샤가 콧김을 내뿜고 있는
모습에 에반이 그저 기가 막혀 웃던 중, 메이벨이 그를 찾아
왔다.

"르나일이 셰어든에 들어왔어요, 도련님."
"아, 역시 그렇게 됐어?"

사실 이 세상의 흐름이 요마대전 3과 어긋나기 시작한 시점
에서 르나일이 게임대로 행동하지 않을 가능성은 얼마든지 있
었다.

던전 도시가 아닌 다른 던전에 들어갈 가능성도 있었고, 던
전 도시 중에서도 셰어든이 아닌 펠라티를 찾을 가능성 또한
있었다.

하지만 그녀는 굳이 거리가 더 먼 곳에 있는 셰어든을 선택
해 국경까지 넘었다.

에반은 그 사실을 무척 자연스럽게 받아들일 수 있었는데,
이런 말로 하면 아리샤에게 조금 미안하긴 하지만…… 그것
은 바로 셰어든이 펠라티보다 매력적인 환경이기 때문이다.

"내가 개입하고 나서부터 셰어든은 탐험가들의 생활과 발
전에 최적화된 환경으로 변모했으니까."
"그 말을 들으면 펠라티에서 나고 자란 내 입장에서는 조금
마음이 복잡해지는걸."

아리샤가 입술을 삐쭉이는 모습에 에반이 쓴웃음과 함께 첨언했다.

"더구나 환경 문제도 있어. 펠라티는 수중전을 각오해야 하는 만큼 전투가 까다롭고, 쓸 수 있는 마법에도 제한이 걸리지. 하필이면 르나일은 땅 속성 전문 마법사야."

"그래, 땅 속성……."

그 말만 듣고도 아리샤는 바로 납득한 모양이었다. 던전 기사단에도 땅 속성 마법을 구사하는 마도사가 있으니까. 주니어조의 마도사, 폴을 말하는 것이다.

그 덕에 그녀도 땅 속성 마법의 특성에 대해서라면 제법 잘 알고 있었다. 그것은 물속에서는 효용이 없지만, 사방이 돌과 흙으로 둘러싸인 셰어든 던전에서는…….

"지형지물을 이용해 몬스터를 죽이고 함정을 파훼하는 등 다방면으로 활약할 수 있으니까 말이지."

"확실히 그건 그렇지만…… 흥. 네가 주목하고 있다기에 뭐 얼마나 대단한 여자인가 했더니 결국 재능의 한계 때문에 던전도 골라서 공략해야 하는 처지였던 거잖아?"

"내가 주목을 하다니 무슨…… 아."

에반은 어딘가 심통이 난 듯한 아리샤의 목소리에 고개를 갸웃하다 곧 깨달았다.

"즉 너도 메이벨과 비슷한 생각을 하고 있었다고?"
"아, 아니거든. 설령 네가 순수한 의도를 갖고 있다고 해도 그 여자가 이상한 꿍꿍이를 품을지도 모른다는 생각을 했을 뿐이야."

아리샤는 에반의 시선을 슬쩍 피하며 대꾸했다. 하지만 그녀의 걱정은 헛된 것이었다. 애초에 에반은 르나일과 굳이 얼굴을 마주칠 생각을 하고 있지 않았기 때문이다.
르나일은 주인공과 접점이 생길지도 모르는 위인인데, 그런 그녀와 만났다가 혹여나 주인공과 정면으로 마주치기라도 한다면?
에반은 주인공을 지원해 주고 싶을 뿐이지 주인공과 엮이고 싶은 마음은 죽어도 없는 것이다!

"일단 감시는 붙여 둬, 메이벨. 그때 지시했던 것들은 모두 기억하고 있겠지?"
"물론이죠, 도련님. 특이 사항이 생기면 바로 보고할게요."

메이벨은 정중하게 고개를 숙이고는 종종걸음으로 물러갔다. 전날 술을 마시고 들러붙었던 것과는 또 다른 모습이다.
정말이지 요즘 메이벨은 종잡을 수가 없었다. 그런 생각을 아리샤에게 털어놓았더니 그녀는 잠시 생각하다가 말했다.

"자제하는 것 같아."

"저 녀석이 드디어 내 신분과 입장을 배려할 줄 알게 된 건가?"

"그것보다는…… 마치 마법의 폭주를 제어하는 마도사 같은 느낌이라고 해야 할까. 방금도 너한테 안기려다가 움찔하고 물러나는 게 보였거든. 하지만 완벽히 억제하지는 못하니까 가끔씩 들러붙어서 욕구를 해소하는 거지."

"너 혹시 샤인이랑 미리 짰어?"

일전 샤인에게서 들었던 것과 문맥상 완전히 일치하는 얘기가 아닌가! 그녀의 말만 듣고 있으면 메이벨에게 무슨 악마라도 들러붙은 것 같다.

정화 의식을 치러야 할까? 일단 라이한에게 말이라도 해 둘까…… 에반이 그런 실없는 생각을 하던 도중 아래층에서 문이 열리는 소리가 나더니 약간의 소란이 일었다.

"입구?"

"누가 또 왔나 본데. 아…… 아나스타샤 공녀인가 보네."

다른 손님도 아니고 아나스타샤라면 여기 이러고 있을 수는 없다. 에반은 직접 몸을 일으켜 아리샤와 함께 1층으로 향했다.

"에반 공자! 아니지, 어스트레이 단장님. 오랜만입니다."

역시나, 그곳에는 길게 기른 부드러운 웨이브의 머릿결, 에반과 같이 찬란하게 빛나는 보랏빛의 눈망울을 지닌 성숙한 미녀가 서 있었다.

옅은 녹빛이 감도는 원피스는 드루이드로서의 정체성을 지키기 위한 패션일까, 알 수 없지만 무척 잘 어울렸다.

"오랜만입니다, 공녀."
"후후. 이미 서신으로 알려 드렸지만 이번엔 좀 오래 머무르게 됐어요. 잘 부탁합니다."
"하하⋯⋯."

사실 그리 오랜만은 아니었다. 크라켄을 잡을 때를 제외하고 봐도, 아나스타샤는 비정기적으로 샤인을 출장시키는 것만으로는 만족을 못 하는지 종종 던전 도시에 놀러 오고 있었기 때문이다.

그리고 이젠 그것으로도 만족을 못 해 대리 영주한테 영지를 맡겨 놓고 셰어든에 머무르겠다고.

에반은 전날 술을 마시며 샤인에게서 들었던 둘의 연애담을 떠올리며, 이러다 정말로 덜컥 애라도 들어서는 게 아닌가 싶어 조마조마한 마음이 들 정도였다.

"응접실로 모실까요?"

"아뇨, 그냥 로비에서 간단하게 이야기하죠. 여기에 있는 사람들이 들어서 곤란한 얘기를 할 것도 아니고, 곧 샤인하고 나갈 예정이라서."

"그렇군요."

에반은 그 말을 듣곤 고개를 끄덕이면서도 빤히 샤인을 응시했다. 샤인이 작게 한숨을 내쉬며 대꾸했다.

"그…… 아샤도 명예 단원이지 않습니까. 오늘 순찰은 저랑 아샤랑 한 조가 되어 하는 걸로……."

"그래라 그럼. 너 원래 루이즈랑 한 조였지? 조 편성을 따로 해야겠네."

"루이즈!? 여자 이름 같은데요!"

"그녀는 말이죠……."

"아샤."

오호, 루이즈에 대한 얘기는 미리 듣지 못했던 것인가. 에반이 입가에 짓궂은 미소를 띠자 잽싸게 샤인이 선수를 쳤다.

"루이즈는 메르딘 영지에서 온 사람입니다. 그리고 이번에

에반 도련님의 제자가 되어 어스트레이에 입단했죠. 같은 조
라는 건 그냥 이번 축제의 순찰조 구성을 얘기하는 겁니다."

"이 자식 겁나 빠른데……?"

이미 제법 변명을 해 본 사람의 말투였다. 가볍고 유쾌한 장
난을 쳐 볼까 했던 에반은 샤인에게서 날아드는 살이 섞인 시
선에 어색한 휘파람을 불며 시선을 돌렸다.

"메르딘이라니…… 그런 거였나요. 사정은 대충 파악했어요."

샤인과 남녀 관계로 엮어 추궁하기에는 메르딘이라는 이름
이 가진 무게가 너무나 무거웠다. 아나스타샤는 겸연쩍은 표
정을 지으며 로비의 소파에 앉았다.

곧 디오나가 차를 내왔다. 에반은 그녀의 맞은편에 앉아 찻
잔을 들며 큼, 헛기침을 했다.

"곧 나가겠다니 그럼 얘기는 짧게 할까요. 우선 셰어든에
장기 체재하겠다는 말은 진심이죠?"

"예. 에반 공자도 늘 그렇게 말하지 않았던가요, 앞으로 셰
어든에서 중요한 일들이 벌어질 것이라고. 저는 이 위험한 곳
에 사랑하는 사람을 두고 안전한 시골에 혼자 처박혀 있을 생
각이 없습니다."

"과연."

그녀를 이렇듯 직접적이고 대담한 행동에 나서게 한 동기는 다른 무엇도 아닌 에반의 '예지' 때문인 모양이었다.

에반도 이해했다. 본인의 행동과 말에 큰 무게가 실린다는 것은 스스로가 가장 잘 파악하고 있다. 물론 그녀의 행동이 마냥 경솔한 행동이라 매도할 생각도 없었다.

형제 코퍼레이션이 이미 메나톤 영지에 깊숙이 자리 잡고 있기도 했고, 메나톤에 마녀들이 머무르고 있기도 하니 영지 걱정은 일단 할 필요가 없는 것이 사실이었다.

"다만 공작위 계승을 위해서는 썩 좋지 않은 일이긴 합니다만……."

"에반 공자와의 약조를 어길 생각은 없어요. 오라버니는 지금 다른 데에 눈을 돌릴 처지가 아니에요. 특히 그…… 저번 선상 파티 때문에."

"아."

그러고 보면 그런 일이 있었다.

설마하니 매튜가 입었던 옷이 크라켄을 부르는 촉매가 되었으리라 생각하는 이는 아무도 없었지만, 그렇다 해도 해상에 나타났던 크라켄이 매튜에게 유독 집착했던 것은 사실.

선상에 나와 있던 모든 이가 그 광경을 똑똑히 보았고, 매튜는 본인에게 잘못이 없음에도 그리 유쾌하지 못한 오명을 뒤집어써야만 했다.

심지어는 그가 요마왕의 권속일 것이라 생각하는 이들마저 있었으니!

"오명을 만회하기 위해 사방팔방으로 노력하고 있는 모양이지만 쉽지는 않아 보여요. 그나마 오라버니에게 충성을 맹세했던 자들까지 떨어져 나가는 실정이니까요."
"그러게 그 옷은 왜 입어 가지고."

매튜와 관계가 조금만 괜찮았더라도 그를 동정했을지도 모른다. 사실 이번 사태에서는 그는 드물게도 아무런 잘못도 안 하지 않았던가!
그에게 잘못이 있다면 그저 옷을 고르는 센스가 절망적이었다는 사실 하나뿐! ······물론 사형감이지만!

"오라버니가 그런 멍청한 짓을 해 주신 덕에 제 운신의 자유 또한 확보된 셈이지요. 에반 공자는 제 행동으로 공작위가 멀어질지 모른다 염려하고 계시지만, 글쎄요. 이대로 메나톤 영지가 수월하게 운영되기만 해도 큰 무리 없이 공작위를 계승할 수 있으리라, 저는 확신하고 있습니다."

나아가, 하고 아나스타샤가 말을 덧붙였다.

"정말로 셰어든에서 에반 공자가 말했던 그런 굵직한 일들이 벌어지게 된다면, 제가 거기에 한몫 거드는 것만으로도 제 이름값이 오르는 것을 기대할 수 있겠지요."

에반은 차마 생각도 하지 않았던 일을 입에 담는 아나스타샤. 그녀는 에반의 말을 전적으로 수용하고 거기서 나아간 미래를 보고 있었다. 에반은 피식 웃으며 대꾸했다.

"후, 아나스타샤 공녀도 지난 세월 마냥 놀고 있지만은 않았던 것 같네요."
"샤인하고 같이 있기 위해 여러모로 머리를 굴렸을 뿐이에요."

사욕을 숨기지 않고 당당히 드러내는 것까지 포함해서 아나스타샤는 많은 면이 바뀌었다. 사랑이 그녀를 바꾼 것일까? 에반은 유쾌한 마음을 굳이 감추지 않으며 고개를 끄덕였다.

"알겠습니다. 셰어든에 머무르는 동안 아나스타샤 공녀는 어스트레이의 단원입니다. 이미 우리의 활동에 대해서는 알고 있겠지만, 자유를 보장해 줄 수는 없어요."
"저는 샤인과 함께 있기 위해서 왔어요. 그걸 위해서라면 제가 지니고 있는 이 힘, 얼마든지 던전 도시를 위해 쓰겠습니다."
"그거면 충분합니다. 앞으로 잘 부탁해요, 아나스타샤."

"저야말로, 단장님."

아나스타샤와 에반은 서로 호칭을 바꾸어 인사하며 짧게 악수를 나누었다.

"그러면 이만. 샤인, 우리 축제 보러 가자."
"아니 잠깐만, 저 잠깐 조 편성 좀 다시…… 잠깐!"

그녀는 정말로 얘기를 마치자마자 벌떡 일어나 억지로 샤인의 팔짱을 끼고는 밖으로 나갔는데, 그 속도가 흡사 풍령보를 시전한 아리샤를 보는 것만 같았다.

"어…… 스승님, 저 사람은? 굉장히 아름다운 분이셨는데……."

아나스타샤가 이름만 듣고 적대감을 드러내는 바람에 여태껏 가만히 숨어 있던 루이즈가 그제야 모습을 드러내며 에반에게 물어 왔다. 에반은 쓴웃음을 지으며 대꾸했다.

"샤인 여친. 그리고 앞으로 우리 어스트레이 단원. 너한테는 선배님이니까 예의 바르게 대해."
"그것 말고 더 해 줘야 될 설명이 있잖아."
"그 외의 정보는 여기까지 들었으면 다 알겠지. 루이즈가 이 나라 공작의 계승권 다툼에까지 머리를 들이밀 필요는 없잖아?"

하긴 그도 그렇다며 뚱한 표정으로 고개를 끄덕이는 아리샤를 놔두고, 에반은 여전히 뭐가 뭔지 알 수 없다는 표정을 짓고 있는 루이즈에게 말했다.

"그렇게 됐으니까 네 조를 바꿔야겠는데…… 그런 표정 짓지 마. 확실하게 믿을 수 있는 사람하고 편성해 줄 테니까."

그 후보는 바로 에반과 파트너가 되지 못한 여자 세 명이 뭉친 순찰조다.

벨루아, 세레이나, 미로엘. 셋은 이 기사단 멤버 중에서도 특히나 강한 축에 속한다. 네 명이 되면 확실히 너무 조가 많아지니 둘둘로 쪼갤 셈이었다.

"흐음…… 좋아. 미로엘과 레이가 한 조, 루아와 루이즈가 한 조. 이러면 불만 없지?"
"벨루아 님? 으으……."

사실 루이즈는 굳이 그 셋 중에 고르라면 세레이나 쪽이 좋았다. 벨루아는 평소의 언행도 그렇고, 당최 뭘 생각하고 있는지 알 수가 없어 무서울 정도인데…….

"루아는 화력만 따지면 샤인보다 더 세. 보호 마법 컨트롤도 확실하고. 너무 걱정하지 마."

"아뇨, 전 그걸 걱정한 게 아니라……."

"좋아, 멤버가 다 정해졌으면 우리도 슬슬 순찰 나갈까?"

"앗, 아뇨, 스승님, 그게…… 아아앗."

루이즈는 차마 벨루아는 싫다는 말을 할 수가 없었다. 어느덧 가까이로 다가온 벨루아가 선홍색의 눈동자를 깜박이며 그녀를 가만히 바라보고 있었다.

"그러면…… 잘 부탁합니다."

"아, 아으아아."

전야제까지 합치면 사흘째의 순찰. 루이즈는 절망한 표정으로 본부 밖을 나섰다. 하늘에는 풍운이 감돌고 있었다.

❀ ❀ ❀

벨루아와 루이즈로 이루어진 순찰조는 무수한 사람의 시선을 끌어당겼다.

"어, 벨루아 양이잖아?"

"오늘은 에반 공자가 없네."

"대신 다른 여자가 있는데?"

항상 에반과 함께 다니는 것으로 유명한 벨루아가 그와 함께하고 있지 않은 것도 이유였지만, 그보다는 벨루아와 루이즈의 외모가 워낙에 특출 났기 때문이다.

"하, 정말 미치게 예쁘네. 저 여자가 그 에반 공자의 애첩이란 말이지?"

"다른 배불뚝이 귀족 놈이라면 불평 한마디는 해 줄 텐데 에반 공자의 첩이라니 할 말이 없구만."

"에반 공자라면 미녀 10명 정도는 옆에 끼고 있어도 이상할 게 없지."

"같이 있는 여자도 만만치 않게 예쁜데. 어스트레이 기사단 배지를 매달고 있는 걸 보면 설마 신입인가?"

"신입은 무슨, 새로운 첩이겠지."

"미친 새끼, 저 여자 귀에 들어가지 않게 조심해. 저 기사단에 속한 사람치고 괴물 아닌 것이 없으니까."

어스트레이는 단원을 외모 기준으로 뽑는 게 분명하다는 우스갯소리와 함께, 어스트레이의 단원이면 무조건 에반의 첩임에 분명하다는, 듣기에 따라선 굉장히 불쾌할 수 있는 속삭임도 가끔씩 들려왔다.

그런 와중에, 정작 루이즈 본인은 주위의 시선은 느끼지도 못할 만큼 긴장하고 있었다. 자신의 동행인 벨루아 때문이었다.

"도시의 구조에 대해서는 파악했습니까?"
"열심히 배우고 있어요. 하지만 아직 전부는……."

벨루아에게서 날아든 질문에 루이즈는 흠칫하며 대꾸했다.
지금 상황은 말하자면 인턴으로 들어온 신입이 회사 고위
간부와 1대1 면접을 하고 있는 듯한 상황이었다. 말 한마디 잘
못하면 정직원의 꿈은커녕 그 자리에서 해고될지도 모른다!
에반은 루이즈를 어디까지나 철밥통, 정직원으로 들일 셈
이었지만 정작 루이즈 본인에게는 아직까지 불안감이 남아 있
었다. 그녀가 살아온 험난한 삶이 그녀를 사람을 쉬이 믿지 못
하게 만들었으니까.

"그렇군요."
"죄, 죄송합니다. 빠른 시일 내에 모두 파악해 두도록 하겠
습니다."
"아뇨. 분명 중요한 일이긴 합니다만…… 지금 당신에겐 그
외에도 할 일이 많을 테니, 서두르지 않아도 좋습니다."

도시 경비는 주로 아이언월 나이츠와 그 휘하 병사들이 감
당한다. 던전 기사단 어스트레이의 역할은 어디까지나 던전
과 외부의 위협으로부터 도시를 지켜 내는 무력 집단.

당장 루이즈에게 급한 것은 다른 단원들에 비해 현저히 처지는 무력을 끌어 올리는 것이었다. 벨루아는 그런 생각을 하며 다만, 하고 입을 열었다.

　"다만 이렇게 둘이 나오게 된 것은 좋은 기회입니다. 오늘 순찰을 하며 짧게나마 교육하겠습니다. 도시 내부의 위험 구역은 미리 파악해 둘 필요가 있습니다."
　"그…… 감사합니다!"

　다행히도 이쪽을 괴롭히려는 의도는 없는 모양이다. 괴롭히기는커녕 적극적으로 기사단에 적응할 수 있도록 도움을 주려 하고 있지 않은가!
　루이즈는 적잖이 안심하여 벨루아에게 고개를 꾸벅 숙였다. 그녀에게선 이미 고위 귀족의 프라이드는 흔적도 찾아볼 수 없었다. 고위 귀족으로 태어나 마족의 공습으로 도시에서 도망쳐, 제 신분을 숨기고 어떻게든 살아남는 데에 급급한 결과였다.
　이미 그녀에게 있어 가장 중요한 가치는 신분이 아닌 무력이 되었다. 자신이 메르딘임을 주장하려면, 이름을 내세우며 으스대기 전에 실력으로 마족들이 점령한 메르딘을 되찾는 것이 우선이었다.

　"처음엔 걱정했습니다만, 다행이군요."

"……예?"

그런 그녀를 보며 벨루아는 솔직히 제 속내를 입에 담았다.

"메르딘의 생존자, 그것도 직계라는 말을 듣고 걱정을 했습니다. 우리 기사단에서는 귀족의 신분을 따지지 않기 때문입니다."
"아…… 제가 적응하지 못할 수도 있다고 생각하셨군요."
"후. 그것도 굉장히 순화된 표현이지요. 다행히 셰어든을 다스리시는 후작 일가는 그렇지 않습니다만, 대다수 귀족들은 평민과 자신이 같은 공간에 머무르는 것조차 싫어하니까."

루이즈는 그 말을 들으며 절로 고개를 끄덕였다. 그건 실크라인의 1왕녀 신분이면서 다른 단원들과 아무렇지도 않게 접하는 세레이나만 봐도 알 수 있는 일이다.
……다만 귀족의 특권 의식이 살아 있었다면 감히 그 장면을 보고도 가만히 있을 수는 없었겠지. 지금의 루이즈가 보자면 우습기 짝이 없는 일이었다.

"자기소개를 할 때에도 말씀드렸지만, 저는 메르딘의 이름을 버렸습니다. 저를 대할 때 제가 귀족이라는 생각은 하실 필요 없어요."
"……당신은 강해질 수 있겠네요. 이곳에서, 충분히."

"칭찬 고맙습니다. 그런데……."

어째설까, 루이즈의 태도를 칭찬해 주면서도 벨루아의 표정은 조금 어두웠다. 물어보지 않는 것이 좋다는 것을 알면서도 그녀는 반사적으로 묻고 말았다.

"그런데 왜 그러시죠? 안색이 안 좋으신데, 혹시 제가 뭔가 잘못을……."
"아뇨. 당신에게 잘못은 없어요. ……잘못이라면 제게 있겠죠."

벨루아가 제 입술을 짓씹었다.
루이즈는 자신이 어스트레이에 있어도 되는 인간임을 지금의 대화로 충분히 증명했다. ……그리고 벨루아는 그것에 짜증이 났다.

'난 그렇게나 가지고 싶어도 가질 수 없는 건데.'

이런 말을 솔직히 하면 에반에게 경멸을 받겠지. 하지만 벨루아는 루이즈가 차라리 전형적인 못난 귀족이었으면 좋았을 것이라는 생각을 했다.
그럼 에반은 그녀를 받아 주지 않았을 테니까. 최소한의 도움은 주더라도, 기사단에 넣어 키우려는 생각은 결코 하지 않았을 터다.

 '귀족으로 생각하지 말라고 해도, 지금 그녀가 강해지려는
것은 메르딘을 되찾기 위해서.'

 에반의 지원으로 성장해, 정말로 메르딘을 수복한다면? 그
땐 그녀가 새로운 메르딘의 후작이 될 것이다. 그녀에겐 정통
성이 있었다. 타고난 신분이 있었다.
 루이즈 본인은 신분을 버렸다고 말하지만, 그것은 버린다
고 사라지는 것이 아니었다. 쭉 그녀의 것이었다. 그녀가 메
르딘을 되찾고 나면 자연스레 그녀는 다시 메르딘의 이름을
내걸 수 있을 것이다.
 아니, 지금 그녀가 신분을 버리고 평민 행세를 하는 것조차
그것을 위한 감내가 아니던가.

 '만약 그녀가 메르딘을 되찾아 후작의 위에 오르면, 그 후
에 그녀가 도련님을 원한다면……'

 안 그래도 자신을 좋아하는 이를 쉬이 내치지 못하는 에반
이다. 루이즈를 부인으로 맞이하는 모습을 쉬이 상상할 수 있
었다.
 그렇게 되면 그때도 벨루아는 그녀와 동등할 수 있을까? 제
아무리 에반의 측근이며 마도사라지만, 천민으로 태어난 자

신이 에반의 부인이 될 수 있을까…….

"베, 벨루아 님?"

"……."

어느덧 루이즈가 벨루아를 바라보고 있었다. 살짝 겁먹은
표정이다. 벨루아는 고개를 절레절레 저어 부정적인 생각을
모두 털어 냈다.

그녀의 모습을 보며 뭔가 떠올리기라도 한 것일까, 루이즈
가 퍼뜩 말했다.

"제, 제게 있어 스승님은 어디까지나 스승님입니다. 그러니
까 그…… 안심하세요."

"……그렇습니까."

"예, 무, 물론이죠."

벨루아는 루이즈의 대답을 들으며 속으로 한숨을 쉬었다.
마인드 컨트롤에는 자신이 있었는데 이리도 쉽게 속내를 들
키다니, 스스로가 한심했다.

미로엘과 루이즈, 두 아름다운 여성이 연달아 기사단에 입
단하게 되면서 흔들린 마음을 다잡으려 부단히 노력했지만 아
무래도 수행이 부족했던 모양이다. 하지만 결국은 이것도 에
반 때문이다.

'도련님의 매력은 너무 지나쳐. 정말이지 나쁜 분…….'

그 하이엘프가 에반에게 푹 빠진 것은 기사단의 누구나가 확신하고 있고, 에반을 스승님이라고 부르는 이 귀족 소녀 역시 그를 매력적인 이성으로 인식하고 있다는 것을 벨루아는 잘 알았다.

'첫 만남에서 이미 끌렸겠지. 그 마음은 잘 알아. 나도 마찬가지였으니까.'

루이즈가 벨루아의 속마음을 조금이나마 읽어 낸 것처럼, 벨루아 또한 루이즈가 에반을 고집스레 '스승님'이라 칭하는 이유에 대해 대강이나마 파악하고 있었으니까.

"루이즈, 사람의 마음은 통제할 수 없어요. 저도 그럴 수 없고."

아마 당신도 다르지 않을 거야. 벨루아는 뒷말은 입에 내지 않고 속으로 삼켰다. 그 속내까지는 읽어 내지 못한 루이즈는 다부진 표정으로 대꾸했다.

"그런 뜻으로 말씀드린 게 아니에요. 단지 벨루아 님이 걱정하실 필요 없다는 뜻에서 말씀드린 거죠."

"네, 그렇게 알고 있겠습니다. 아, 마침 당신이 알아 둬야 할 사람들이……."

이 화제를 길게 끌고 가면 자신의 칙칙한 속내만 더 드러낼 뿐이다. 그렇게 생각한 벨루아가 애써 다른 화제를 찾아 고개를 돌리는데, 마침 저 너머 거리에 피닉스 길드의 엘로아가 서 있는 것이 보였다.

"……음?"
"아, 벨루아! 마침 너흴 만나고 싶다는 아이가."
"와, 진짜 어스트레이다!"

그리고 그녀의 옆에 서 있는.

"만나 뵙게 되어 정말로 반가워요, 선배님들!"

작은 체구의, 엘로아의 것에 비하면 훨씬 진한 푸른빛이 감도는 포니테일을 한 소녀가.

"이전부터 뵙고 싶었습니다! 셰어든에 대한 얘기 중 절반은 어스트레이였거든요! 그래서 말인데 초면에 실례지만!"

일직선으로 벨루아를 향해 달려오며, 고개를 꾸벅 숙였다가 들었다.

　그 얼굴에 어린 것은 지극히 쾌활한 자신감과 기대, 그리고 애써 감추려 하지만 못내 삐져나오는 불안감.

　"부탁드립니다, 어스트레이에 입단하게 해 주세요!"

　요마대전 3의 메인 히로인, 수련 마법사 르나일이 그곳에 있었다.

　한편 그 시각, 에반은 아리샤와 데이트를 즐기고 있었다.

　"에반, 아앙."
　"너희 이것도 미리 짰지?"
　"자자, 빨리. 아앙."

　에반은 꿀을 넣어 구운 빵을 자신의 입가로 내미는 아리샤의 기대 어린 표정을 이기지 못해 입을 조금 벌려 그것을 베어 물었다.
　에반의 입가에 꿀이 조금 묻었다. 그것을 바라보는 아리샤의 눈에서도 꿀이 뚝뚝 떨어졌다.

"닦아 줄게."

"괜찮아, 손수건 있어."

"손수건보다 더 좋은 거 있어."

괜찮다고 말하기도 전에 아리샤의 입술이 다가와 그의 입술을 훔쳤다. 길지 않았지만, 마냥 짧지만도 않은 접촉. 어쩌면 그녀와 입술이 맞닿는 키스는 이것이 처음일지도 몰랐다.

충동적으로 행한 것인지 스스로도 조금 놀란 것 같았지만, 이내 그 얼굴에 흐뭇한 미소가 번졌다. 볼이 조금 붉었다.

"후흐, 했다."

"귀족의 체면은 어디 갔냐."

"에반, 세상 모든 일에는 중요도가 있는 법이야. 그리고 지금 내게 있어 귀족의 체면은 너와의 스킨십에 비하면 그리 중요하지 않아."

분명히 예전엔 이렇게 적극적인 성격이 아니었는데 어쩌다 이렇게 변한 것일까. 혹시 이것도 '메이벨 현상'일까? 그리 나쁜 기분은 들지 않는다는 것이 가장 분했다.

"꿀 맛있다. 아직 네 입술에 남은 것 같은데 더 먹어도 될까?"

"야야, 적당히 해라. 사람들 본다."

에반은 제법 강하게 밀어붙여 오는 아리샤로부터 자신을
보호하며 대신 그녀의 입에도 꿀빵을 물렸다. 아리샤는 투덜
거리면서도 얌전히 빵을 먹었다.

"우물우물…… 이쪽도 맛있네."
"하여간……."
"그런데 에반, 벨루아랑은 이미 키스했나 보네."
"크흡!"

아리샤는 언제나 이렇듯 예기치 못한 순간에 예리하게 그
를 찔러 왔다. 사레가 들린 에반이 콜록콜록 기침을 하면서
도 당황하여 그녀를 돌아보자, 아리샤가 아무렇지도 않게 말
했다.

"예전엔 가드가 이렇게 느슨하지 않았거든. 네가 내 접근을
허용한 건 이미 벨루아랑 한 번, 혹은 그 이상 키스했기 때문
이야. 틀려?"
"……응."

어떤 식으로 대답하든 에반이 개새끼가 되는 전개. 실제로
개새끼였으니 어쩔 수가 없다.
끝내 에반이 고개를 푹 숙이며 시인하자 아리샤는 신경 쓰
지 말라는 듯 손을 팔랑팔랑 저어 보였다.

"애초에 너와 벨루아 사이를 비집고 들어간 건 나인걸. 나는 있지, 네 마음에 나를 들여보내 주는 것만으로 감사해. 그러니까 괜히 미안해하지 마. 그럴 여유가 있으면 좀 더 날 사랑해 줘."

"사, 너, 인마······."

"에반, 사랑해."

"너······!"

언제는 부끄러워서 다시는 이런 말 못 한다더니! 대꾸를 하지 못하고 얼굴만 붉히는 에반의 모습에 까르륵 웃은 아리샤가 그의 팔짱을 끼며 달라붙었다.

"둘만 있을 때 점수 확실히 따야지. 나 오늘 좀 강렬하지?"

"그래, 인마. 얼굴에 불나겠다."

에반은 그렇게 말하면서도 자세를 고쳐 아리샤를 보다 가까이 끌어당겼다. 아리샤의 입가에 어린 미소가 더욱 짙어졌다.

주위에서 시선이 쏟아졌지만, 이미 어제와 그저께 에반이 각각 다른 여성과 비슷한 모습으로 거리를 걷고 있었던 것을 떠올린 사람들은 그저 고개를 끄덕일 따름이었다.

"오늘은 아리샤 님 차례인가 보네. 아주 잘 어울려."

"약혼녀잖아. 저쪽이 정실이라고."

"매일 당당하게 파트너를 바꿔 데이트를 하시다니, 역시 에 반 도련님이야. 우리는 상상도 못 하는 일을 태연히 해 버려! 그 점에 전율해, 동경하게 돼!"

여기저기서 잡음이 많다. 에반은 즐기라는 축제는 안 즐기 고 에반 일행을 훔쳐보는 못된 놈들에게 한마디씩 해 주려 고 개를 들었다.

"어."

들었다가.

"어, 어어어……."

그의 모습을 발견했다.

"이게, 무슨."

키는 훤칠하지만 아직 얼굴에는 앳된 기색이 남아 있는 소년. 의심의 여지도 없다. 그를 본 순간 확신했다.
비록 유저 커스텀으로 외모를 다르게 설정할 수 있지만, 그 럼에도 틀림없었다.
왜냐면 그의 외모는 과거 자신이 직접 설정했던 것이니까.

"어어어……."

하지만 어째서일까, 에반만큼이나 그 역시 에반을 보고 놀란 모양이었다.

"무슨, 사람이, 말도 안……."

아니, 그 표현은 정확하지 않다. 지금 그의 표정에는 경악이라는 표현이 더 어울렸다. 도저히 믿을 수 없는, 믿기 싫은 무언가를 알게 된 듯한 표정.

"어, 그러니까……."

에반이 당황하면서도 일단 상식적인 선에서 대응하기 위해 입을 연 순간.

"하아."

소년은 기절했다.
그 자리에서 기절해 쓰러져, 한동안 일어나지 않았다.
그것이 요마대전 3의 주인공, '머스트 세이브Must Save'와의 첫 만남이었다.

Interlude.
머스트 세이브, 조우하다

머스트 세이브는 실크라인 산골 마을에서 태어났다.

소년은 조금 특이한 이름을 제외한다면 평범한 아이였다.

어째서 이름을 두 개나 갖고 있냐며 같은 마을 아이들이 놀리기도 했다. 소년은 처음엔 그런 말들에 상처를 입곤 했다. 하지만.

'세이브, 네가 태어나던 날 많은 신들께서 속삭이셨단다. 네가 위기에 처한 세상을 구원하고 영웅이 될 것이라고.'

'내가, 세상을 구해……?'

'너의 그 두 번째 이름은 바로 거기서 나온 것이란다. 구한다는 뜻을 담은 고대어지.'

'고대어…….'

아버지로부터 그 얘기를 들은 후, 소년은 더 이상 자신의 이름을 부끄러이 여기지 않게 되었다.

떠벌리고 다니지는 않았지만, 스스로 속으로 세상을 구할 용사라며 다짐하며 마음을 굳게 다졌다. 그것으로 끝나지 않았다. 그는 강해지고자 했다.

'그래, 훈련을 하자. 용사들은 검과 마법을 잘 쓰니까……!'

하지만 그는 그리 특별하지 않았다. 머리는 나쁘지 않았으나 셈을 조금 잘하는 정도. 마법을 배울 수 있을 정도는 아니었고, 애초에 마법을 배울 수 있는 환경도 아니었다.

대충 깎아 만든 목검으로 검술을 수련하려 해도 성과가 그리 좋지 않았으며, 체술은 애초에 논외였다. 산골 마을에 무기의 적성에 대해 이해하고 있는 어른은 없었기에 그에게 그것을 제대로 가르쳐 줄 수도 없었다.

'나는, 세상을 구할 용사가 아니었어……?'

소년의 나이 열두 살이 되던 해.

수없이 목검을 휘둘러 물집이 맺힌 손바닥을 내려다보며 소년은 절망했다.

소년에게 기적의 능력이 잉태한 것은 바로 그 순간이었다.

[머스트 세이브]
[존재 레벨 1, 던전 레벨 1]
[무직]
[패시브 스킬 – 할버드 마스터리 Lv1, 철의 육체 Lv1(고유 스킬)]
[액티브 스킬 – 없음]
[적성 – 할버드]

"이, 이게 뭐야……?"

소년은 갑자기 나타나 눈앞을 메우는 문자의 나열에 지극히 당황했다.

아무런 전조도 없이 자신의 눈을 가득 메우는 문자열에 자신이 미쳤거나 제 눈이 맛이 갔다는 생각을 떠올리는 것도 당연했다. 사태를 보다 심각하게 한 것은, 소년이 분명 그 문자를 모르고 있음에도 그 뜻을 알 수 있었다는 것이다.

"내가…… 정말 미친 건가……?"

손바닥에서 눈을 돌리자 정체 모를 문자열은 금방 눈앞에서 사라졌지만, 그는 그것에 대해 누구에게도 얘기하지 않았다. 아니, 하지 못했다는 표현이 정확했다.

안 그래도 쓸데없이 긴 이름 탓에 주목을 받고 있었기에, 거기서 더 주목을 받을 일을 하기 싫었던 것이다.

입을 다무는 대신 그는 보다 깊이 생각했다. 자신이 미쳤을 확률, 자신의 눈이 맛이 갔을 확률…… 그리고 이것이 용사만이 얻을 수 있는 특별한 힘이었을 확률에 대해!

'이건 나 자신을 나타내는 게 분명해.'

오랜 고민 끝에 소년은 비로소 그런 결론을 내릴 수 있었다. 너무나 간결해 초라하게마저 느껴지는 문자열, 그것은 바로 지금의 초라한 자신과 닮아 있었던 것이다.

존재 레벨이 뭔지도, 할버드라는 게 뭔지도 모르는 소년이었으나 그것은 이제부터 알아 가면 될 일이었다.

"할 수 있어. 나는 용사니까……!"

소년은 차근차근 자신의 기이한 능력에 대해 파악해 나갔다. 가장 먼저 시도한 것은 바로 타인에게도 자신의 능력을 적용할 수 있느냐 하는 것.

그는 몇 번이고 시도한 끝에 그것에 성공했다. 그리고 놀랐다. 마을에 살고 있는 다른 이들…… 자신의 아버지를 포함한 모두 능력이 변변치 않았던 것이다.

그들 대부분 1 정도는 아니어도 존재 레벨이라는 것이 낮았으며, 던전 레벨에 이르러선 아예 1이 아닌 사람을 찾아볼 수가 없었다.

무직이 아닌 이를 찾기 힘들었고, 스킬은 가끔씩 벌목이나 요리, 가사 따위의 잡스러운 능력을 지닌 이들이 있을 뿐.

'고유 스킬이라는 걸 갖고 있는 사람은 없네.'

소년은 그때 처음으로 자신감을 가질 수 있었다. 자신만이 갖고 있는 것임에 분명한 특별한 눈, 마찬가지로 자신만이 갖고 있는 특별한 고유 스킬! 그는 역시나 특별했던 것이다!

[철의 육체 Lv1(고유 스킬)]
[철은 두드릴수록 단단해진다. 당신도 마찬가지다. 보다 많은 고생을 할수록, 보다 많은 상처를 입을수록 몸이 단단해지고 강인해진다.]
[신체 능력을 전반적으로 상승시켜 주며, 스킬이 일정 레벨에 도달하게 될 경우 액티브 기능이 오픈됩니다.]

자신의 고유 스킬에 대해 깊이 생각한 순간 또다시 떠오르는 문자열.
소년은 이 문자열이 품고 있는 정보의 양이 엄청나며 자신이 그것의 방향성을 조종할 수 있다는 사실을 깨달았고, 당장 그것을 적극적으로 활용해 자신의 모든 것을 파악했다.

[존재 레벨]

[모든 존재의 능력의 기준이 되는 힘. 신체와 스킬을 단련하거나 다른 존재를 처단했을 때, 그리고 세상에 큰 영향을 미쳤을 때 성장하며 능력 전반에 두루 영향을 미친다.]

[던전 레벨]
[신이 내린 시련, 삼대 던전에서 얻을 수 있는 힘. 던전을 깊이 나아갈수록 레벨이 오르며, 신의 축복으로 능력을 끌어올린다.]

[패시브 스킬]
[항상 적용되는 스킬.]

[액티브 스킬]
[활성화에 조건이 필요한 스킬.]

[할버드]
[미늘창이라고도 한다. 폴암의 부류로, 도끼와 창을 겸한다.]

"이, 이건……!"

그것은 신이 내린 계시나 다름이 없었다. 세상의 비밀 중 일부를 깨닫게 된 소년은 벅찬 감동에 몸을 덜덜 떨었다. 그제야 그는 확신할 수 있었다.

자신의 세상을 구하기 위해 태어난 용사가 맞다는 사실을.
그리고…….

"던전."

자신이 용사라는 이름에 어울릴 만큼 강해지기 위해선 어
떻게 해야 하는지.

❊ ❊ ❊

그로부터 4년이라는 세월이 흘러 소년은 가까스로 청년이
라고 봐 줄 수도 있을 법한 나이로 성장했다.

16세, 한창 일을 해야 할 나이가 된 것이다. 하지만 그는 평
범하게 나무꾼 행세나 하며 살 생각이 전혀 없었다.

철의 육체라는 고유 스킬 하나에 기대 부단히 단련해 오던
그는, 셰어든 던전이 다시 개방되었다는 소식을 듣고 비로소
때가 왔음을 확신했다.

"아버지, 저 셰어든으로 갈 거예요."
"뭐, 뭐!? 그곳이 어디라고 네가 가, 그 위험한 곳엘!"
"그곳에 가야만 강해질 수 있어요, 아버지."

소년의 굳은 결의를 시골의 범부는 당해 낼 수 없었다. 그

제야 아들에게 헛바람을 불어넣었던 자신을 원망했으나 이미 늦은 후였다.

"저는 세상을 구할 용사잖아요. 다녀올게요, 아버지."
"아니 그건 이 녀석아…… 세이브, 아무튼 안 된다. 죽을 거야."
"안 죽을 거예요. 저는 용사니까!"

자신을 뜯어말리는 아버지를 과감하게 떼어 놓고 그는 던 전 도시 셰어든으로 향하는 여행길에 올랐다. 그 전에 확인한 자신의 능력은 스스로에 대한 확신을 더해 주었다.

[머스트 세이브]
[존재 레벨 13, 던전 레벨 1]
[무직]
[패시브 스킬 - 할버드 마스터리 Lv3, 철의 육체 Lv5]
[액티브 스킬 - 빨리 달리기 Lv6, 투척 Lv4]

소년의 등에는 나무를 팔아 번 돈으로 만든, 할버드에 대한 단편적인 지식으로 어설프게 엮어 낸 도끼창이 걸려 있었다.
그것을 괜히 한 번 쓰다듬은 후 그는 셰어든으로의 발걸음을 서둘렀다. 용사인 자신의 앞날에 어떤 일들이 기다리고 있을지 기대되어 참을 수가 없었다.

"어디에서 온 누구냐?"
"우, 우리 마을에 이름은 없는데……."

그러나 세상은 그에게 그리 상냥하지 않았다.

그 사실을 소년은 셰어든에 도착한 순간 깨달았다. 주위를 아무리 둘러보아도 자신보다 약한 이가 없었기 때문이다.

"쯧, 딱 봐도 시골 촌놈이구만. 그 허술한 무기는 대체 뭐냐. 설마 그대로 던전에 들어갈 셈은 아니겠지, 죽을 거다."
"그, 그럴 수가……."

[톰 - 셰어든 병사 3,169]
[존재 레벨 49, 던전 레벨 26]
[검사]
[패시브 스킬 - 검술 Lv37, 에반단련법 Lv33]
[액티브 스킬 - 참격 Lv19, 질주 Lv15, 소드가드 Lv13]

"왔으면 얌전히 축제나 즐기고 돌아가라, 꼬맹아. 자, 들어가."
"어, 그게, 그러니까."

소년은 던전 도시 셰어든의 성문을 지키고 있는 병사를 보며 침을 꿀꺽 삼킨 후, 조심스레 물었다.

"당신은 병사들 중에서 제일 강한 사람인가요?"

"아니, 밑바닥인데?"

"거, 거짓말……!"

그는 무턱대고 병사의 말을 부정하며 냅다 도시 안으로 뛰어 들어갔다.

그러나 도시 안으로 들어갈수록 나타나는 무수한 사람들, 그들을 바라볼 때마다 떠오르는 문자열은 병사의 말이 그리 틀리지 않았음을 증명해 주었다.

간혹 자신보다 약한 사람도 있었지만 그런 사람들은 보다 강한 사람들의 호위를 받고 있는 높은 신분의 귀족인 경우가 대다수였다. 심지어 꽃집에서 꽃을 팔고 있는 아가씨조차 세이브보다 강했다.

'무슨 병사가 그렇게 강해, 무슨 약초꾼이 저런 말도 안 되는……!'

용병 차림을 하고 걷고 있는 사내도, 허접한 로브를 걸치고 으스대며 마도사 행세를 하는 소녀도, 이상한 고깔모자를 쓰고 돌아다니는 예쁜 누나도!

그 모두가 세이브는 듣도 보도 못한 직업이나 스킬을 보유하고 있었으며 그 레벨도 세이브와는 비교가 되지 않는 수준이었다.

"오, 새로운 탐험가 지망생이구만."

"힘내라고! 하지만 던전에 가기 전에 장비는 한번 점검하고 가는 게 좋겠구만!"

"아, 아아……!"

세이브는 자신이 우물 안 개구리였음을 깨닫고 절망했다. 자신이 4년간 힘껏 해 왔던 수련은 아무것도 아니었다! 그는 나름대로 열심히 수련을 한다고 했지만 저들 중 자신보다 존재 레벨이 낮은 이는 하나도 없었다!

"이건 말도 안 돼. 이건 말도 안 돼……!"

물론 도시로 오는 길에도 간간이 그보다 강한 이들을 발견하긴 했다.

그건 일부일 뿐이라고, 그마저도 곧 자신이 뛰어넘을 수 있을 것이라고 믿었기에 개의치 않았다. 하지만 그렇지 않았던 것이다. 자신이 약했던 것이다.

고유 스킬이 있으면 뭐 하는가, 이제 조금 몸이 단단해진 정도로는 저 에반단련법인지 뭔지 하는 스킬을 30레벨 넘게 수련한 병사에게 단숨에 나가떨어질 텐데!

심지어 그와는 다른 고유 스킬을 익힌 사람들도 심심치 않게 발견할 수 있었다!

"어째서. 어째서……."

지금 이 순간도 그의 눈에 새겨지는 정보들이 그에게 엄격하고 냉정한 현실을 들이대고 있었다. 너는 별것 아니라고, 용사는커녕 병사보다도 약한, 그냥 평범한 시골 소년일 뿐이라고!

"그럴 리가, 없는데……."

소년은 애써 자신보다 약한 사람을 찾기 위해 돌아다닌 끝에 자신의 행동이 아무런 의미도 갖지 못하는 도피에 불과하다는 사실을 자각했다.

동시에 생겨난 것은 차라리 증오에 가까운 궁금증이었다.

'에반이라는 사람은 대체 뭐 하는 사람인 거야!'

셰어든의 병사들, 심지어는 기사들조차 모두가 에반단련법이라는 것을 익히고 있었다. 그들은 도심을 돌아다니는 다른 이들에 비해서도 확연히 강했다.

이것이 샤인이 만들어 낸 신인단련법의 일반인용 마이너버전이라는 사실을 그가 알고 있을 턱이 없었다.

"대체 에반이란 사람이 누구죠?"
"뭐? 허어!"

그는 근처를 순찰하던 병사에게 에반에 대해 물었다. 그러자 돌아온 대답이 걸작이었다.

"아직 이 나라에 에반 도련님을 모르는 촌놈이 있었다니……. 그분은 영웅이시지. 이 도시와 나라를 구한 영웅!"

"영웅……."

"용사라고 해도 좋겠구만. 큼, 아무튼 이 도시에 그분이 있기에 우리는 아무런 걱정 없이 살아갈 수 있는 것이다. 설령 요마왕이 나타나더라도 에반 도련님께서 나서면 한 방이지!"

후작가의 둘째 아들로 태어났으며 도시를 다양하게 발전시키는 동시에 마족들로부터 도시를 지켜 낸 대마도사.

체계적인 수련법을 확립시켜 무수한 인재를 길러 냈으며, 동시에 거대한 상회의 주인이기도 한 에반 디 셰어든의 얘기를 들으며 세이브는 본능적으로 깨닫고 말았다.

'내가 아니었어.'

세상을 구할 용사는 자신이 아니었다. 바로 그였다.

어쩌면 그 역시 자신과 같은 능력을 갖고 있을지도 몰랐다. 아니, 분명히 그럴 것이다.

모든 이의 적성을 알아내고 빠르게 키워 낸다는 얘기만 들어도 분명했다. 어쩌면 그의 능력은 자신보다 더 발전된 형태일지도 몰랐다!

'내가…… 아니었어.'

이날 이때까지 그것만 굳게 믿고 살아왔다. 자신이 언젠가 세상을 구원할 용사가 될 것이라고, 자신이 세상의 주인공이 될 것이라고!

그런데 그 모두가 시골 꼬맹이의 망상에 불과했던 것이다. 비참한 마음을 참을 수가 없었다.

아버지의 말 하나만 믿고 자신은 여태까지 얼마나 병신같이 굴어 왔단 말인가! 용사라며 으스대고 뿌듯해했던 지난날을 생각하니 그대로 죽어 버리고 싶은 심정이었다.

"그 사람…… 어디 가야 만날 수 있나요?"
"하하, 내 얘기를 듣고 나니 너도 도련님을 직접 뵙고 싶어진 모양이구나! 아마 지금쯤이면 순찰을 하고 계실 텐데."

하다못해 한번 만나 보기라도 하고 싶었다. 그렇게 하고 나면 헛된 꿈을 말끔히 버릴 수 있을 것 같았다.

물어물어 찾았다. 사실 그리 어려운 일은 아니었다. 에반은 어딜 가나 주위의 시선을 끌어당기는 사람이었고, 그가 어디에 있는지 광고를 하고 다니는 것이나 마찬가지였으니까.

[에반 디 셰어든]

찾았다. 듣던 대로 정말 아름다운 사람이었다. 그 옆에 있는 여성도 아름다웠지만 에반에게는 미치지 못했다.

그는 완전했으며 무결했다. 신이 강림했다고 해도 믿을 수 있으리라 생각하며 세이브는 그의 정보를…….

[에반 디 셰어든]
[존재 레벨 298, 던전 레벨 71]
[외도, 인도자]
[패시브 스킬 – 악력 Max, 각력 Max, 기습 Max, 신인단련법 Lv92, 제왕학 Lv54, 극독 내성 Lv96, 천중7 Lv89, 연금술 Lv97, 투척 Max, 저주 내성 Lv91, 마기 내성 Lv89]
[액티브 스킬 – 헤븐 프레스 Lv76, 헤븐 스로우 Lv59, 헤븐 스텝 Lv81, 헤븐 블레이드 Lv35]
[적성 – 대마도사]

정보를, 보았다.
보고 말았다.

"무슨, 사람이……."

아니, 저 사람은 결코 용사일 리가 없다.

그 어떤 용사든 저 사람을 이길 수 있을 리가 없으니까.

"말도, 안 되는……."

지나치게 충격적인 것을 본 탓에 숨이 턱 막혔다. 순간적인
심정지가 올 정도였다.

'아니, 사람이 아니야. 사람이 아니니까 가능한 거야. 그
래……!'

자신을 발견하고 당황한 표정을 짓는 에반 디 세어든을 보
며, 머스트 세이브는 희미한 의식 속에서 생각했다.

'그는…… 신이야!'

소년은 그 생각을 끝으로 기절했다.
에반에게 신도가 생긴 날이었다.

《죽지 않는 엑스트라》12권에서 계속…….

토이카_ 쏘지 마라 아군이다!

폭주한 마법으로 인해 언데드의 대지로 화한 제국.
제국을 정화하고 새로운 희망을 심기 위해
신은 무수한 세계로부터 용사들을 소환하였다.

평범한 지구인이었던 이신우 역시 그곳에 소환되었다.
"언데드로."

⟨환생은 괜히 해가지고⟩, ⟨나 홀로 로그인⟩의 작가 **토이카!**

범접할 수 없는 독창적인 상상력의 작가가 선보이는 새로운 판타지 월드!

토이카_ 환생은 괜히 해가지고

《나 빼고 다 귀환자》의 작가, 토이카
그가 선보이는 퓨전 판타지 《환생은 괜히 해가지고》!

"마생(魔生), 아니지. 인생(人生) 진짜……."

마왕군 서열 4위에 빛나야 할 삶을 용사의 칼 끝에 날려버린 아르페.
죽고나서 눈을 떠 보니 인간으로 되살아 났다.
전생의 기억으로 다시 사는 삶 속에서 아르페의 지략과 배짱은 천하무적!

인간 아르페의 인생에서 짐짝, 아니 동반자인 메테르.
적이라면 앞뒤 가리지 않고 베었기에 전생의 아르페도 거침없이 베었다!

너무 어울리지 않기에 가장 잘 어울리는 마법사와 용사의 동반모험 개시!

은 재미와 감동으로 엄선된 장르소설 전문 출판 브랜드입니다.